JN018090

イラストで読む ルネサンスの巨匠たち

杉全美帆子

河出書房新社

はじめに

この本は、十六世紀の画家であり建築家であり、文筆家であったジョルジョ・ヴァザーリという人によって書かれた『芸術家列伝』が基になっています。歴史上初めて、西洋美術の歴史を書いたこの本の中には、ルネサンス期に活躍した多くの芸術家たちのたいへん愉快なエピソードがたくさん収められています。超有名人のレオナルド・ダ・ヴィンチやミケランジェロ、ラファエロの逸話はもちろんのこと、日本ではあまり知られていない芸術家たちのプライベートな出来事まで、時には落語の小噺なのではないかと思うほど、おもしろいものがたくさん盛り込まれています。それらの逸話を、しかも漫画というかたちで手軽に知ることができれば、それまで、「大昔の超人的な天才」というはるか遠くの存在にしか感じられなかった芸術家たちが、私たちと同じように生きた生身の人間だったのだな、と身近に感じることができるのではないでしょうか。

ひと口にルネサンス芸術と言っても、よく知られたレオナルドやミケランジェロだけではないということは、フィレンツェのウフィツィ美術館に一歩足を踏み入れれば誰もが感じるところです。大多数の芸術家の名前はあまり知られておらず、また作品の題材も宗教画がほとんどで、日本人の私たちにはおよそなじみが薄く、親しみやすいものではありません。しかし、芸術家にまつわるおかしなエピソードや知識を持って作品に接すると、それまで「たぶん素晴らしいんだろうな、よくわからないけど…」としかとらえられなかったものが、「このマリア様は、画家の最愛の奥さんの肖像なのか、なるほど美人だな」、などと見方が変わり、楽しく記憶にとどめることができるのではないかというのが、本書の狙いとするところです。

ヴァザーリの『芸術家列伝』は、その後の研究から、多くの年代の誤りや作品と作者の取り違え、まったく根拠のない作り話などが指摘されて信頼を置けない書物という烙印が押されてもいますが、それでもなお、当時の芸術家たちをこれほどに生き生きと描き出した書物は他にはなく、逸話に関してもそれが事実であったかということより、「そうであったに違いないと信じられる」ことに価値が見出され、素晴らしい古典として読み継がれています。本書によって、少しでもこの古典のおもしろさ、楽しさを実感していただけましたら、それ以上の喜びはありません。

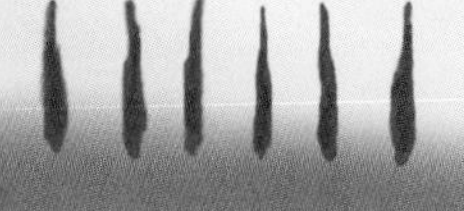

contents

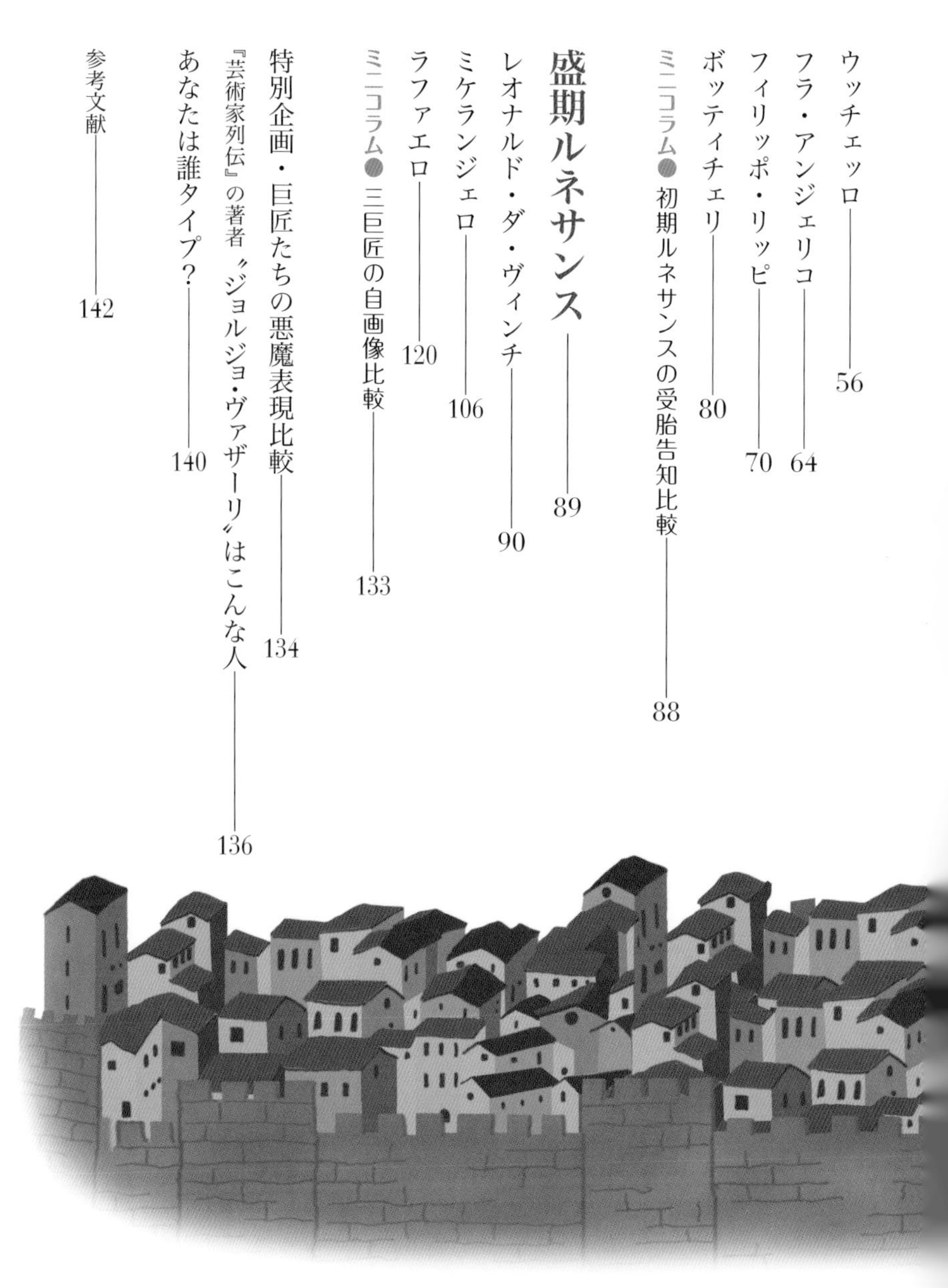

芸術家年代グラフ

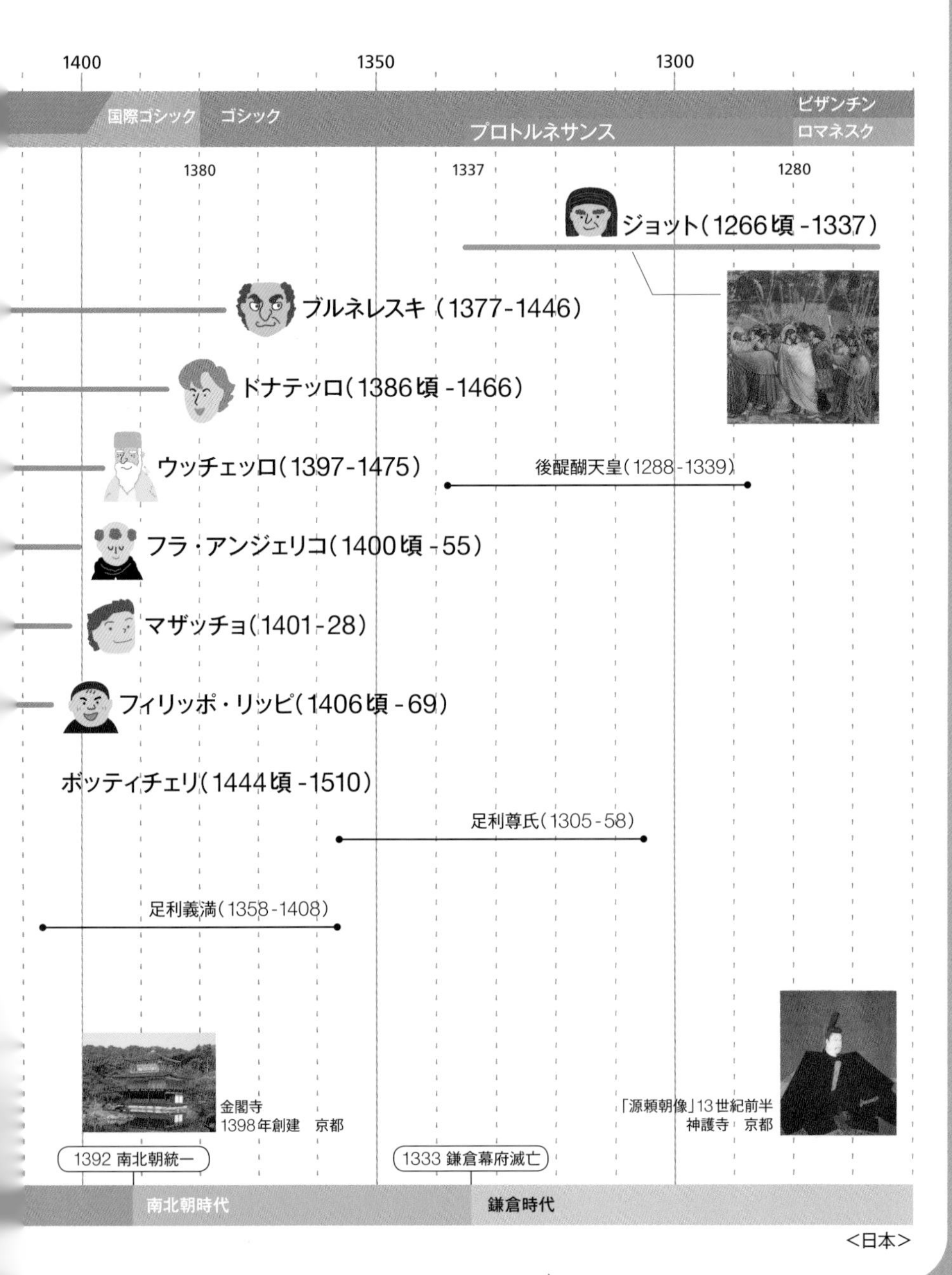

1400
1350
1300
国際ゴシック
ゴシック
プロトルネサンス
ビザンチン
ロマネスク
1380
1337
1280
ジョット(1266頃-1337)
ブルネレスキ(1377-1446)
ドナテッロ(1386頃-1466)
ウッチェッロ(1397-1475)
後醍醐天皇(1288-1339)
フラ・アンジェリコ(1400頃-55)
マザッチョ(1401-28)
フィリッポ・リッピ(1406頃-69)
ボッティチェリ(1444頃-1510)
足利尊氏(1305-58)
足利義満(1358-1408)
1392 南北朝統一
1333 鎌倉幕府滅亡
南北朝時代
鎌倉時代
<日本>

金閣寺
1398年創建　京都

「源頼朝像」13世紀前半
神護寺　京都

ルネサンス期

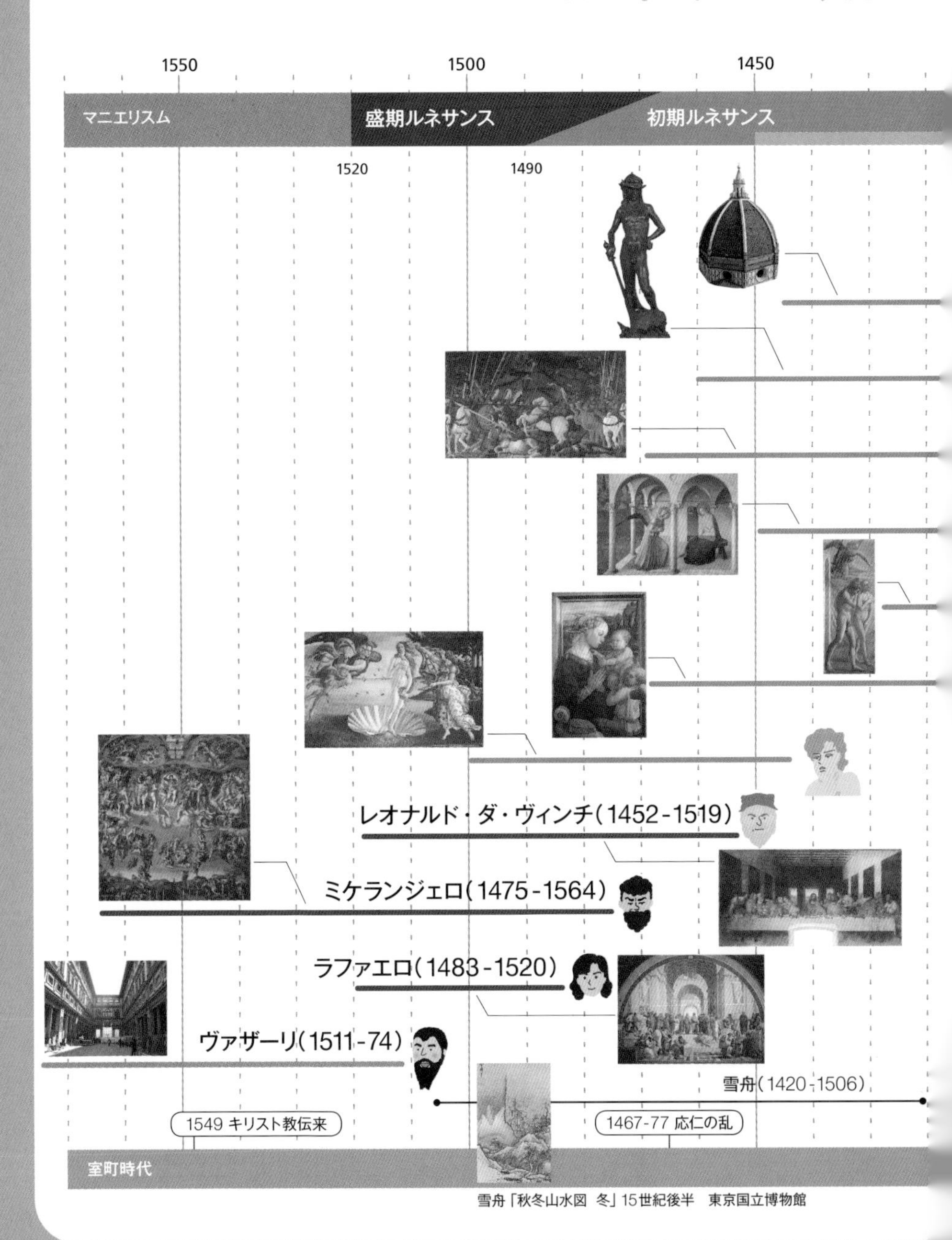

1550
1500
1450
マニエリスム
盛期ルネサンス
初期ルネサンス
1520
1490
レオナルド・ダ・ヴィンチ(1452-1519)
ミケランジェロ(1475-1564)
ラファエロ(1483-1520)
ヴァザーリ(1511-74)
雪舟(1420-1506)
1549 キリスト教伝来
1467-77 応仁の乱
室町時代

雪舟「秋冬山水図 冬」15世紀後半　東京国立博物館

ライバル相関図

みんな わしに 続け!

ジョット

フィレンツェでは、特に15世紀に集中して、才能ある芸術家が次々に登場したため、みな複雑に影響しあい、研鑽しあって、素晴らしいルネサンス美術が生まれる原動力になりました。

わしの師匠は古代ギリシャ・ローマ文明に決まっとるじゃろ!

ブルネレスキ

大親友

友達

ぼくが元祖・筋肉研究家さ

マザッチョ

影響

影響

マザッチョ先生の仕事ぶりを見ながら育ったよ

フィリッポ・リッピ

神の御心のままに

フラ・アンジェリコ

影響

同僚

師弟関係

親子

師匠?それは愛と美さ…

ボッティチェリ

師弟関係

もちろんお父さんから、そしてボッティチェリさんから影響を受けたよ

フィリッピーノ・リッピ

ギベルティ
チマブーエ
わしの師匠は チマブーエ先生 じゃった
僕の工房からは 優秀な弟子が たくさん育ったよ
ギベルティ工房
ライバル
影響
影響
ギベルティ親方の 所で一緒に仕事を させてもらったことも あったな
友達
ドナテッロ
一番の師匠はやっぱり古代彫刻だな
ウッチェッロ
ラファエロの 師匠として 有名です…
ペルジーノ
師弟・友人・
師弟関係
先生が多すぎて 学ぶのが大変 だったよ
自然が 師匠じゃ
わしの大工房には 素晴らしい才能が 集結しておった
師弟関係
影響
ヴェロッキオ
ライバル
オレは、 独学だ!!
ラファエロ
レオナルド・ダ・ヴィンチ
影響
皆さん、 なんて素晴らしい 芸術家なんでしょう!
影響
ヴァザーリ
ミケランジェロ

Renaissance

ルネサンスとは?

十五世紀、フィレンツェにおいてルネサンス美術という大輪の花が咲いた

「ルネサンス」を一言で説明するのはとても難しいことです。あえていうならば十四世紀から十六世紀にかけて、それまでの時代をとりまいていた空気を一新する、「新しい風」が吹き始めた時代の呼称なのかもしれません。このルネサンスと呼ばれる時代に、芸術・哲学のみならず、一般の人々の人生に対する考え方が大きく変わりました。それは、天国に行くことだけを望んで生きる厭世主義から、現世を肯定し、自分たち人間の存在を見つめなおそうという思想への転換でした。

ルネサンスの舞台となったフィレンツェの民衆にとって、十五世紀初頭は苦難の時代でした。周期的に襲ってくるペストや、領土拡大を狙うミラノ軍によって、大変苦しめられていました。そのような過酷な状況の中、ルネサンスは始まりました。暗い空気を吹き飛ばそうとする目的で行われた一四〇一年の洗礼堂の扉コンクールは、まさにルネサンスの幕開けを告げる象徴的な出来事でした。また、積極的な海外との貿易などで力をつけた有力商人たちが、邸宅を建設し、礼拝堂を装飾するなど、活発な市民パトロン活動を展開しました。

NASCITA DI VENERE
「ヴィーナスの誕生」

このイラストは、僕が描いたルネサンスの顔ともいうべき代表的名画の一部さ。この本はこの絵が描かれた時代の芸術家の物語なんだ

ボッティチェリ

ルネサンスが起こった社会背景

それまでの中世を覆っていた空気

厭世主義

教会には絶対服従

ペスト・戦争・飢饉…この世は生き地獄

でしょ? だから早く あの世に行って ラクになろうよ

あの世はいいよ 少なくとも "死"が ないもん

死神

この世は 辛すぎる…

早く天国に 行きたい…

もうイヤだ

金もうけは罪悪じゃぞ!

悪いことをすると地獄行きじゃぞ

おっしゃるとおりにします…

こ、こわい…

唯一キリスト教の神様が、絶対的存在

そんな暗いことばっかり言ってないで元気を出そう!

人文主義・現世肯定主義

経済活動が活発化

銀行マン
イチ、ニー、サン、シ…

銀行業や毛織物の貿易など、活発な商業活動を展開

うちの羊毛 50袋でどうだ?
そんなに安くちゃ売れないね 少なくとも…
毛織物
羊毛

けっこうもうけちゃったな。お金もうけは罪悪なのに…
うれしいけど…
地獄に落ちるかナ?

お金が貯まる

この礼拝堂の権利、買います
すばらしいお考えです。神のご加護を…

もうけたお金を教会に寄進

新しい空気の中、芸術活動が活発になる

市民パトロン登場

伝統にしばられず、より自然で美しい作品を好む市民パトロンが台頭

景気づけにコンクールだ!

洗礼堂の扉を作ろう

町のシンボルにふさわしい素晴らしいものを頼みます!
ハイ

実力のある芸術家が育つ

聖母は優しそうな美人がいいな。僕の肖像と家の紋章も、どこかに入るかな?
了解です
画家
華やかに頼むよ

ルネサンスを支えた思想「人文主義」

ギリシャ・ローマの学芸（哲学・文学・数学・幾何学）を研究する人文学研究が活発になり、ルネサンスという時代を根底で支えました。厭世主義から現世肯定主義への転換という大きな思想の変化をもたらした人文主義者たちは、自分たちがまさに時代の変わり目に存在し、栄光ある古代ギリシャ・ローマの学芸が復興する瞬間に立ち会っていると考えました。この「復興」という概念から、近代に入り、この時代をルネサンスと呼ぶようになりました。

この流れにのって、美術の分野では古代彫刻が模範とされました。また教会から禁じられていた解剖学をも取り入れ、正確に人体のしくみを理解して芸術作品を制作しようとする試みが始まりました。それは古代以来忘れられていた、リアリズム探求の再出発であり、さらにその古代を凌駕する道のりの出発点でもありました。

人文主義とは

神にしばられた世界観から人間を解放し、ギリシャ・ローマの学問、芸術を学び、自由な人間性の回復を目的とする思想。詩人ペトラルカによって創始されたといわれる。その後、コジモ・ディ・メディチ（老コジモ）によって創設され、孫ロレンツォ（豪華王）が引き継いだ「プラトンアカデミー」に集まる人文主義者たちによって、「神のみでなく、人間というもの」についての議論が活発に行われた。

ルネサンス（フランス語）＝ 再生・復活・復興＝ 古代ギリシャ・ローマの学芸の復興

復活

神中心の世界観では厳しく禁止されていた

- ◉現世を肯定する
- ◉人体美＝裸体
- ◉自然美　◉神話

みんな古代の芸術に夢中

君、まるで古代彫刻のような出来じゃないか！
えっ、本当ですか？！うれしいなあ！

当時の彫刻家には、まるでギリシャ・ローマ時代の作品であるかのように見せる能力が求められた。

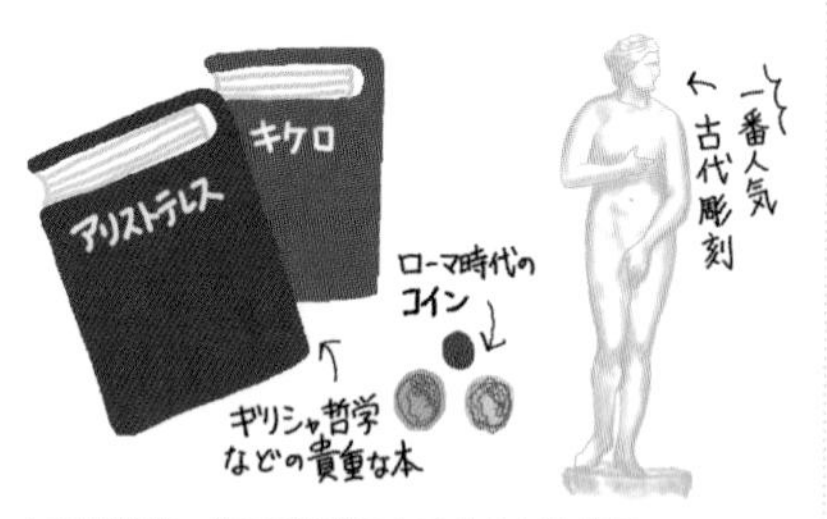

キケロ
アリストテレス
ローマ時代のコイン
ギリシャ哲学などの貴重な本
一番人気古代彫刻

人文主義は、全ての学芸のお手本を古代ギリシャ・ローマに求めたので、富裕な人々の間に古いものを集める古美術収集ブームが起こった。

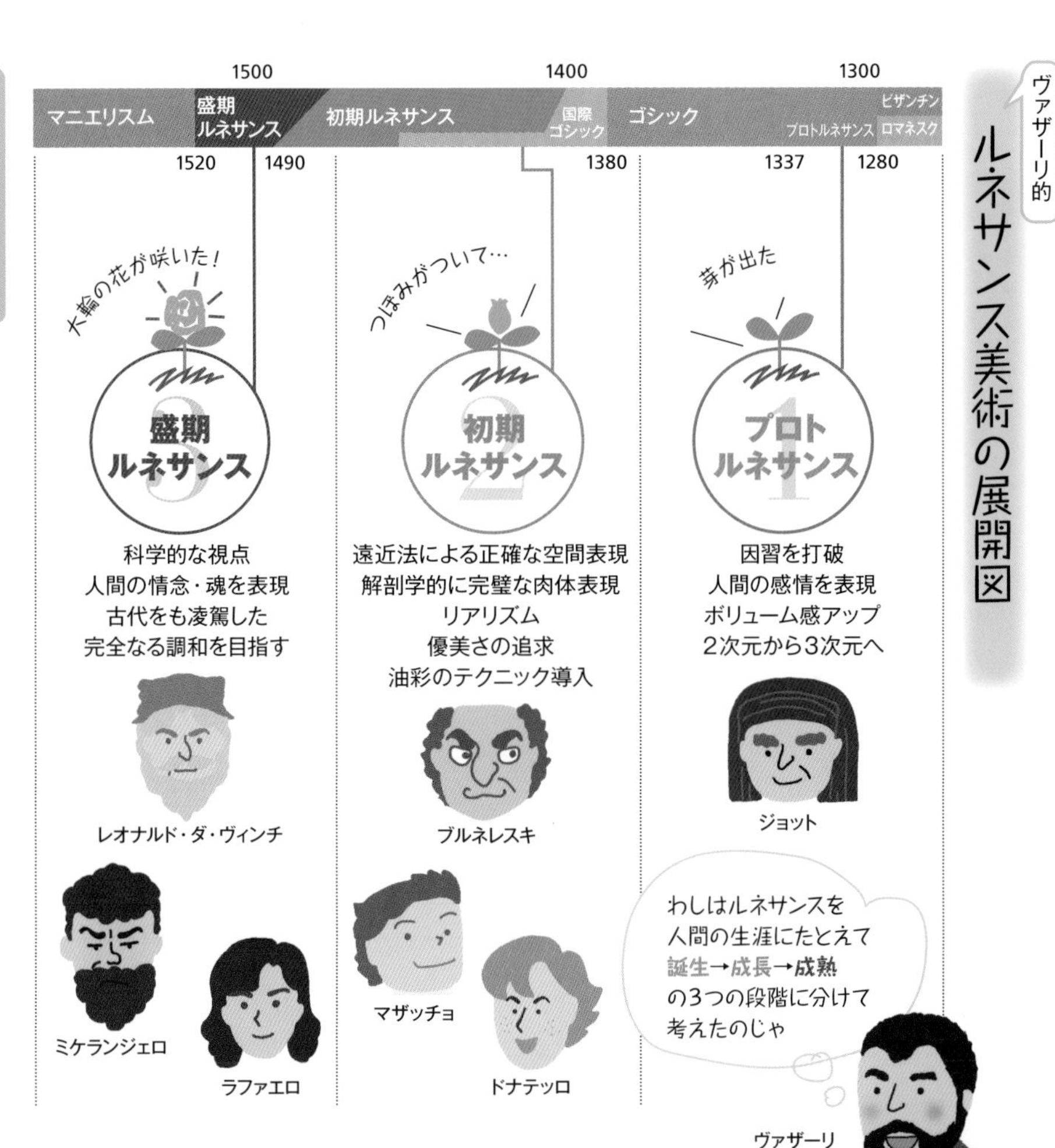
ヴァザーリ的
ルネサンス美術の展開図
1500
1400
1300
マニエリスム
盛期ルネサンス
初期ルネサンス
国際ゴシック
ゴシック
ビザンチン
プロトルネサンス
ロマネスク
1520
1490
1380
1337
1280
大輪の花が咲いた！
つぼみがついて…
芽が出た
3 盛期ルネサンス
2 初期ルネサンス
1 プロトルネサンス
科学的な視点
人間の情念・魂を表現
古代をも凌駕した
完全なる調和を目指す
遠近法による正確な空間表現
解剖学的に完璧な肉体表現
リアリズム
優美さの追求
油彩のテクニック導入
因習を打破
人間の感情を表現
ボリューム感アップ
2次元から3次元へ
レオナルド・ダ・ヴィンチ
ブルネレスキ
ジョット
ミケランジェロ
ラファエロ
マザッチョ
ドナテッロ
わしはルネサンスを
人間の生涯にたとえて
誕生→成長→成熟
の3つの段階に分けて
考えたのじゃ
ヴァザーリ

中世のイタリア美術は、長くビザンチン様式を継承していましたが、十三世紀の終わりにジョットが現れ、その因習を打破し、イタリア・ゴシック絵画を確立しました。このジョットの時代をプロトルネサンスとヴァザーリは定義しました。その後、およそ百年近くの間、ジョッテスキと呼ばれるジョット風の絵画が描かれる時代が続きますが、マザッチョらの登場によってルネサンスの第二段階である初期ルネサンス時代に入ります。十五世紀のフィレンツェは才能あふれる芸術家がきら星のごとく現れ、レオナルド・ダ・ヴィンチが登場する盛期ルネサンスまで、文化の一大拠点でした。

それまでのビザンチン美術とは…

■ 神様や権威ある人物が中心。真正面のポーズで堂々としている

■ 服のひだがくっきり線で描かれるのがビザンチン様式の最大の特徴

モザイク　13世紀 洗礼堂 フィレンツェ

■ 苦痛で溶けたような表情

■ 腹部が不思議な分かれ方をしている

■ ひだが黒い線で描かれている

■ キリストの生涯がコマ割りで描かれている

十字架像434の師匠
「十字架磔(たっけい)刑図と受難の八物語」
1240年頃　ウフィツィ美術館 フィレンツェ

神様の威厳 を表すことが第一の目的

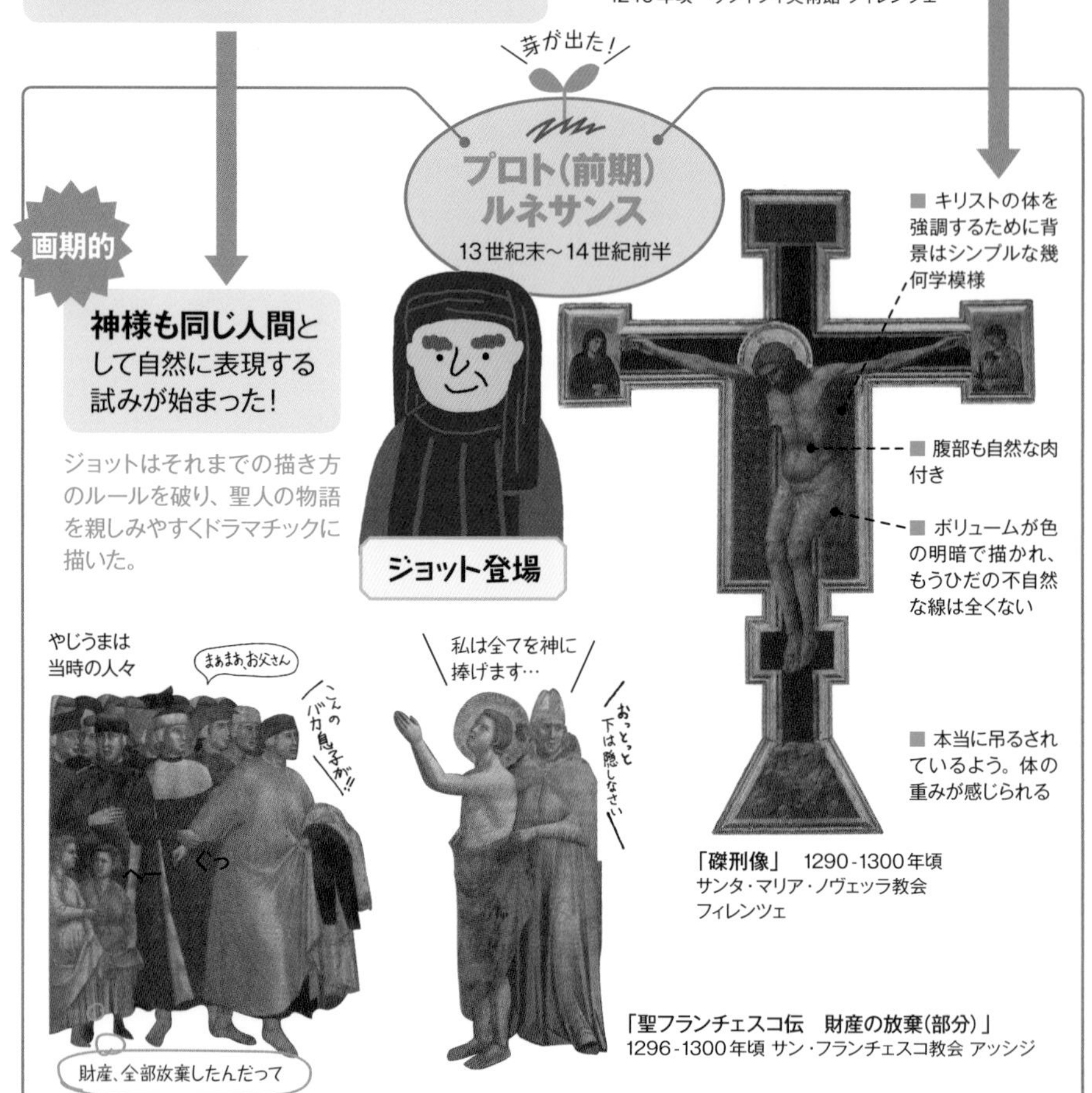

芽が出た！
プロト(前期)ルネサンス
13世紀末〜14世紀前半
画期的
ジョット登場
やじうまは当時の人々
まぁまぁ、お父さん
このバカ息子が!!
へー
ぐっ
財産、全部放棄したんだって
私は全てを神に捧げます…
おっとっと下は隠しなさい

神様も同じ人間として自然に表現する試みが始まった！

ジョットはそれまでの描き方のルールを破り、聖人の物語を親しみやすくドラマチックに描いた。

■ キリストの体を強調するために背景はシンプルな幾何学模様

■ 腹部も自然な肉付き

■ ボリュームが色の明暗で描かれ、もうひだの不自然な線は全くない

■ 本当に吊るされているよう。体の重みが感じられる

「磔刑像」　1290-1300年頃
サンタ・マリア・ノヴェッラ教会
フィレンツェ

「聖フランチェスコ伝　財産の放棄(部分)」
1296-1300年頃 サン・フランチェスコ教会 アッシジ

つぼみがついて…

初期ルネサンス

15世紀全般

古代ギリシャ・ローマから学んだ合理的な**奥行き空間**の中に**個性と量感**をもった人間像を、徹底した**写実主義**で表現した。北方ヨーロッパ（現在のベルギー周辺）から伝わった**油彩も導入**。

舞台はフィレンツェ

メディチ家がたくさんバックアップしたぞ（コジモ・ディ・メディチ 通称 老コジモ）

初期ルネサンスのビッグ3

絵画 マザッチョ

「三位一体」 1426-28年頃 サンタ・マリア・ノヴェッラ教会

わしら以後、建築・絵画・彫刻は職人の仕事から知的な"芸術"の仕事になったんじゃ

建築 ブルネレスキ

「クーポラ」 1436年完成 ドゥオーモ

ドナテッロ 彫刻

「ダヴィデ」 1435-42年頃 バルジェッロ国立博物館

"優美さ"の追求

フラ・アンジェリコ

清らかに美しく…

「受胎告知」 15世紀前半 サン・マルコ美術館

フィリッポ・リッピ

きれいな女性像はおいらにまかせろい!

「聖母子と二人の天使」 1465年頃 ウフィツィ美術館

ウッチェロ

「サン・ロマーノの戦い」 1435-60年 ウフィツィ美術館

わしもわしなりに遠近法を研究したぞ

ボッティチェリ

ルネサンスの代表的作品

「ヴィーナスの誕生」 1485-90年頃 ウフィツィ美術館

フィレンツェの実質的な支配者ロレンツォ豪華王が擁護した人文主義のおかげで絵画のテーマが神話OK、裸体OKになったのさ。でも宗教画の注文も相変わらずたくさんあったよ

※このページの作品はすべてフィレンツェ。

大輪の花が咲いた！
盛期ルネサンス
1490～1520年
初期ルネサンスの様々な試みを完成、さらに**深い精神性、完全なる調和**をたたえた驚異的な作品を生み出し、ついに**古代を凌駕**した、偉大なる**三巨匠の時代**。
芸術の中心はフィレンツェからローマや他の都市へ…
レオナルド・ダ・ヴィンチ
わしは森羅万象を解明しようとしたのじゃ
ミケランジェロ
オレは彫刻家だ！画家じゃねえ
そーだ そーだ
レオナルド・ダ・ヴィンチの優美
ミケランジェロの力強さ
ラファエロの古典主義的優美
僕はお二人の良い所をうまく融合していわゆる“理想的”と言われる様式を確立したので、後の画家たちからよくお手本にされたよ
ラファエロ

「モナ・リザ」1503-06年頃
ルーヴル美術館　パリ

「ダヴィデ」1501-04年
アカデミア美術館 フィレンツェ

「アテネの学堂」
1510年
署名の間
バチカン ローマ

芽が出た

プロトルネサンス

ジョット

ジョット

GIOTTO PITTORE, SCVLTORE
ET ARCHITETTO FIOR.

新時代（ルネサンス）の扉を開けた画家

ジョット
Giotto
（1266頃-1337）
ウッチェッロ作(?)
ルネサンスの始祖
見た目は
いまいち
近代絵画の父
愛想はいい
子供の頃は
羊飼い
機知に富む
皮肉屋
気の利いた
返答が得意
プライドが高い
愛嬌もある
{肩書き}
・画家　・建築家

ジョットの絵画革命

人間らしい表現

ジョット登場

優しそうなお母さん
透け感のあるガウン!
どっしりボリューム
台座も立体的

「オンニッサンティの聖母」
1310-11年頃　ウフィツィ美術館 フィレンツェ

こうなった!

威厳のある表現

ジョット以前

真正面のポーズ
布のひだを黒い線で描くのがビザンチン様式の最大の特徴
台座は平面的な模様
輪郭線くっきりで平面的

グレーヴェの師匠 **「カザーレの聖母」**
13世紀前半 ウフィツィ美術館 フィレンツェ

画期的

もうひだの線はやめ!
色の明暗で人体を
立体的に表現する時代じゃ

十三世紀中頃までのイタリアは、長くビザンチン様式の絵画を描き続けていましたが、フィレンツェでチマブーエが従来の型にはまった様式から少し人間味のある表現を始め、その弟子ジョットによって、ついに近代絵画の幕開けとも言われる絵画の革命が行われました。

それは、「キリスト・聖人＝近寄りがたい存在」として表すのではなく、「キリスト・聖人＝同じ人間」ととらえようとする思想の大転換が根底にありました。

人間の感情を表情や身振りでわかりやすく表し、まわりをとりまく人々の様子も当時の風俗を取り入れて描き、そしてなにより一番の革新は、絵画の世界を「二次元から三次元に立体化したこと」でした。それらは長い間忘れられていた古代ギリシャ・ローマ芸術の発想の復活でもありました。そのため一般的には、ジョットの時代からルネサンスは始まったとされています。

そしてジョットは、聖書の物語や聖人の生涯をよりわかりやすい構図にしたフレスコ画を、教会の壁いっぱいに描きました。

革命的

ジョットは
目に見えている通りの世界を描いた!

- 身振り、表情で感情を表し人間らしさを表現
- 物語をドラマチックに表現
- 人体にボリュームをもたせて三次元に
- 建築物にも奥行きを表現

感情の表現

全身で表現

嘆き悲しむ天使たち
木も枯れて泣いているよう…
どっしりした背中も悲しみに暮れている…

「キリスト伝　死せるキリストへの哀悼」
一三〇四-〇五年頃　スクロヴェーニ礼拝堂　パドヴァ

こうなった!

ジョット以前

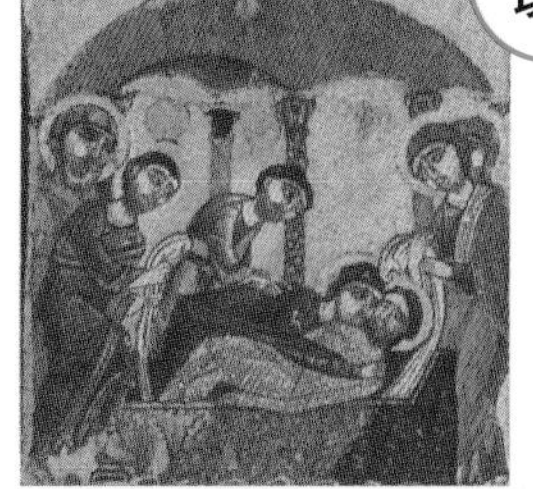

フィレンツェの画家
「死せるキリストへの哀悼(磔刑像の一部分)」
12世紀後半　ウフィツィ美術館　フィレンツェ

フレスコ画とは?

粗塗りされた壁に、まずシノピアと呼ばれる下書きを描き、その上に漆喰を塗り重ね、湿った状態のうちに描き上げる技法。"フレスコ"とは、漆喰が塗りたてで湿った状態=「フレッシュ」のイタリア語。

わしはこの技法の達人じゃったので、今日でもわしのフレスコ画はとても保存状態が良いのじゃ

ドラマチックに

たいまつや角笛が
効果的にシーンを
盛り上げている
衝撃!! 耳が
切り落とされている!
兵士の耳を
切り落とす
弟子のペテロ
端正な横顔で
じっとユダを見つめる
キリスト
ぷわ〜
コノヤロー
あいつじゃ!
あいつを捕らえよ

ジョット
以前
フィレンツェの画家
「ユダの接吻(磔刑像の一部分)」
12世紀後半　ウフィツィ美術館
フィレンツェ

こうなった!

「キリスト伝　ユダの接吻」
1304-05年頃　スクロヴェーニ礼拝堂
パドヴァ

それまで、キリストや聖人はつねに正面を向いたポーズで描かれてきたので、このような横顔での表現は、画期的だったのじゃ

奥行きの表現

わしは厳密な遠近法による描き方ではないが経験と感覚で、かなり奥行きのある空間を作り出したよ

ジョット
以前
十字架像434の師匠
「十字架磔刑像と受難の八物語(部分)」
1240年頃　ウフィツィ美術館　フィレンツェ

こうなった!

とても合理的な
空間表現
当時、実際に
建っていた建物を
描いている
「聖フランチェスコ伝　質朴(しつぼく)な男の尊崇(そんすう)」
1296-1300年頃　サン・フランチェスコ教会　アッシジ

羊飼いの少年から不滅の大画家へ

ジョット物語

みんな自然が
教えてくれたんだ
メェ〜

1 フィレンツェ郊外のムジェッロという村でジョットは生まれました。父親は農夫だったので、ジョットは少年の頃、よく羊の番をしていました。

みんないるかナ?
メェ〜

2 ジョットはいつも、小石で平たい石の上に、羊の絵を描いていました。

3 そこに、ある日高名な画家、チマブーエが通りかかりました。

ハッ
あれは何だ?

4 まるで本物そっくりの羊を描く少年に驚いたチマブーエは、ジョットに言いました。

ぜひ、すぐにでも画家になる修業を始めなさい!
君にはすごい才能がある
えっ!? 本当ですか? うれしいなぁ
お父さんが許してくれれば…

5 チマブーエは、すぐにジョットの父親に会いに行き、彼の工房に弟子入りすることを熱心に勧めました。

息子さんは素晴らしい才能をお持ちです。私の目に間違いはありません
おまかせ下さい
ほんとですか…
私の息子にそんな才能が…

6 父親は喜んでジョットを送り出しました。ジョットはチマブーエとともにフィレンツェという未知の世界に旅立ちました。

行ってきます。
みんな元気で…
しっかり
頑張れよ…

7 工房に弟子入りしたジョットはみるみる頭角を現し、あっという間に師匠を追い越すまでになりました。

よしっ
頑張るぞ!
その
調子じゃ

ハエのエピソード

1 ある日、師匠チマブーエが外出したので、

出かけたナ…

2 いたずらっ子だったジョットは、描かれていた人物の鼻の上に、「ハエ」を描き込みました。

えいっ

3 帰ってきて、仕事を続けようとしたチマブーエは、ハエを手で何度も追っ払おうとしました。

なんて
しつこいハエじゃ
こともあろうに
聖母の鼻の上に…
コラ!
あっちへいけ!

4 ところがどんなに追っ払ってもハエが逃げないので、その時やっと描かれたものだと気づきました。

やっ!! なんとっ!
これは描かれた
ものなのか!!!
フンフ〜ン

ジョットのトンド円

1 時の教皇ボニファティウス八世の命でジョットの高い評判の真偽を確かめ、さらに本当に腕の立つ画家を探すための使者がトスカーナ地方に送られました。

ここらへんで一番の画家は誰ですかね？
フムフム
やっぱりジョットかなあ
シモーネ・マルティーニもいいけど…

2 シエナの町でたくさんの画家に会い、デッサンを集めた使者はジョットにも「何か描いてくれ」と頼みました。

お安い御用じゃ

なにしてんだ？

グルッ

そこで、ジョットはフリーハンドで非の打ち所のない正円を描きました。

3 他にも、もう少しデッサンをもらえないかと頼む使者に向かってジョットは、

わかる人にはわかります…
え〜〜これだけですか？
やり過ぎたくらいです

と言いました。

4 バカにされたと思った使者でしたが、他のデッサンとともにジョットの正円も教皇に送りました。

ええ、確かにジョット氏は素手でこの円を描きました。右手を固定してぐるっとね。けど、これだけなんてバカにしてますよね？他の人はちゃんとデッサンとか描いてくれるのに…

僕はちゃんと言いましたよ？教皇バカにすると痛い目あうよって

ペラ ペラ

あのアホは

やつはなにもわかっとらん…

この円はスゴイ！

ワナ ワナ

5 美術に造詣の深かった教皇は、その円を見てすぐにジョットの抜きん出た才能と技術の高さを理解しました。

あなたはズバ抜けて素晴らしい！

そして、ジョットに様々な仕事を依頼し、高額な報酬を与えました。

新しい諺（ことわざ）が誕生した

“Tu sei più ***tondo*** (トンド) che l'O di Giotto.”

「君はジョットの円よりも丸いね」
＝君はにぶいなあ

これ以降、トンドという言葉は、「ジョットの描く円より丸い円など存在しないということに気づかない＝愚鈍・単純」という意味も持つようになりました。

なにを〜
君はなんてトンドなんだ

ジョットの軌跡

ジョットの時代、フィレンツェ、ローマ、ナポリ、パドヴァ、アッシジなどはみな独立した国でした。

そんな中、画家として高い名声を得たジョットは国を超え、あちこちの領主や教会、
裕福な商人からたくさん仕事の依頼を受けました。

つまり、世界をまたにかけて活躍したと言っても過言ではありません。

晩年は建築の分野にも進出し、名高い「ジョットの鐘楼」を手がけました。

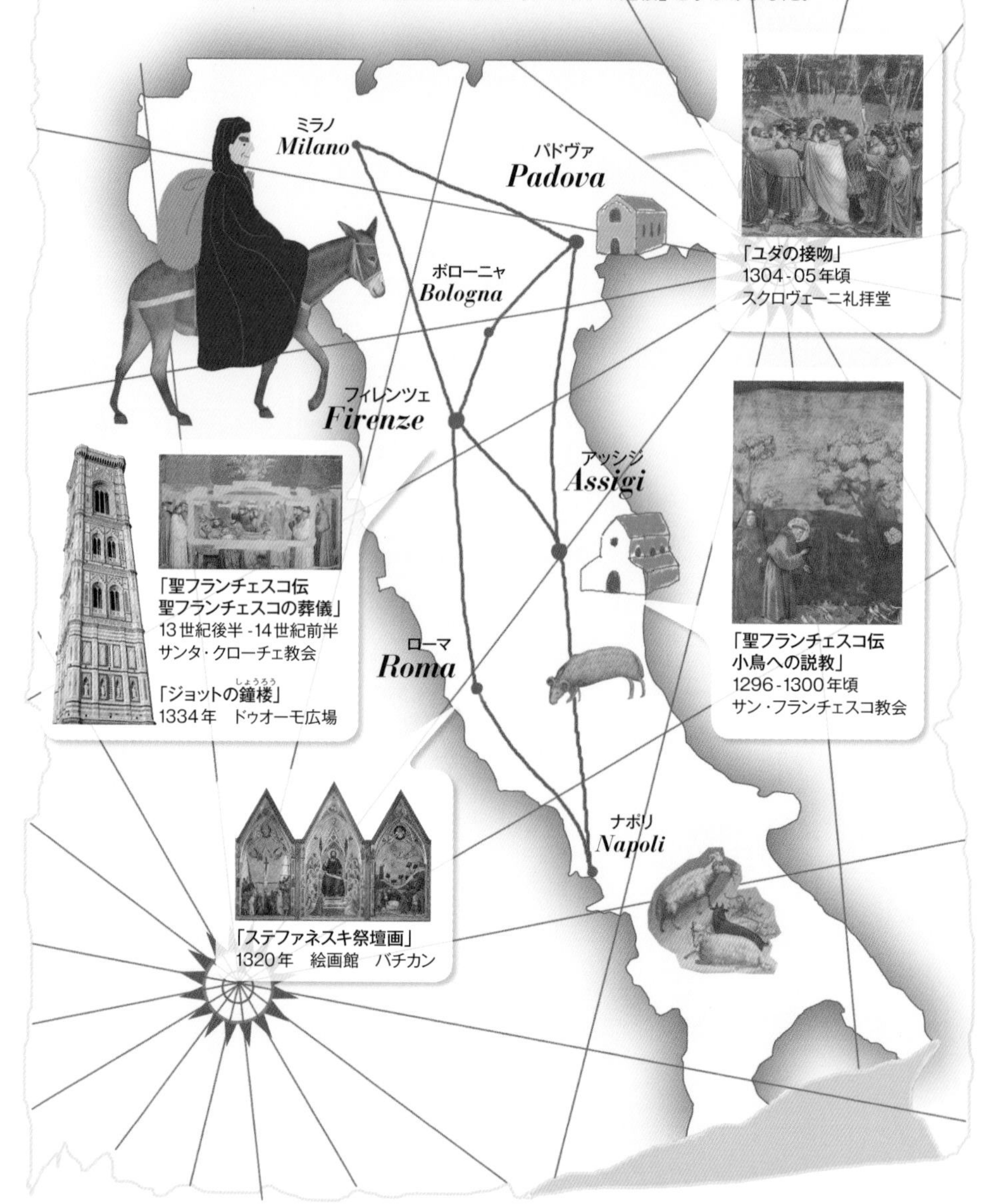

ミラノ
Milano
パドヴァ
Padova
ボローニャ
Bologna
フィレンツェ
Firenze
アッシジ
Assigi
ローマ
Roma
ナポリ
Napoli

「ユダの接吻」
1304-05年頃
スクロヴェーニ礼拝堂

「聖フランチェスコ伝
聖フランチェスコの葬儀」
13世紀後半-14世紀前半
サンタ・クローチェ教会

「ジョットの鐘楼（しょうろう）」
1334年　ドゥオーモ広場

「聖フランチェスコ伝
小鳥への説教」
1296-1300年頃
サン・フランチェスコ教会

「ステファネスキ祭壇画」
1320年　絵画館　バチカン

つぼみがついて…

初期ルネサンス

ブルネレスキ
ドナテッロ
マザッチョ
ウッチェッロ
フラ・アンジェリコ
フィリッポ・リッピ
ボッティチェリ

フィリッポ・ブルネレスキ

FILIPPO BRVNELLESCHI SCVL.
ET ARCHITETTO

大聖堂(ドゥオーモ)に前人未踏の大クーポラを架けた天才建築家

フィリッポ・ブルネレスキ
Filippo Brunelleschi

（1377-1446）

ルイージ・
ポンパローニ作

発明の天才

超秘密主義

高慢

短気

みんなバカに
見える

友人も
超一流

身長153cm

ハゲ

わし鼻

薄い唇

眼光鋭く

挑戦的な
面構え

生涯独身

協調性ゼロ

｛肩書き｝

- ・建築家
- ・彫刻家
- ・画家
- ・算術家
- ・幾何学者
- ・軍事技師
- ・造船家
- ・水力学者
- ・舞台美術家

ブルネレスキの傑作建築

サンタ・マリア・デル・フィオーレ（大聖堂（ドゥオーモ）のクーポラとランタン部分）

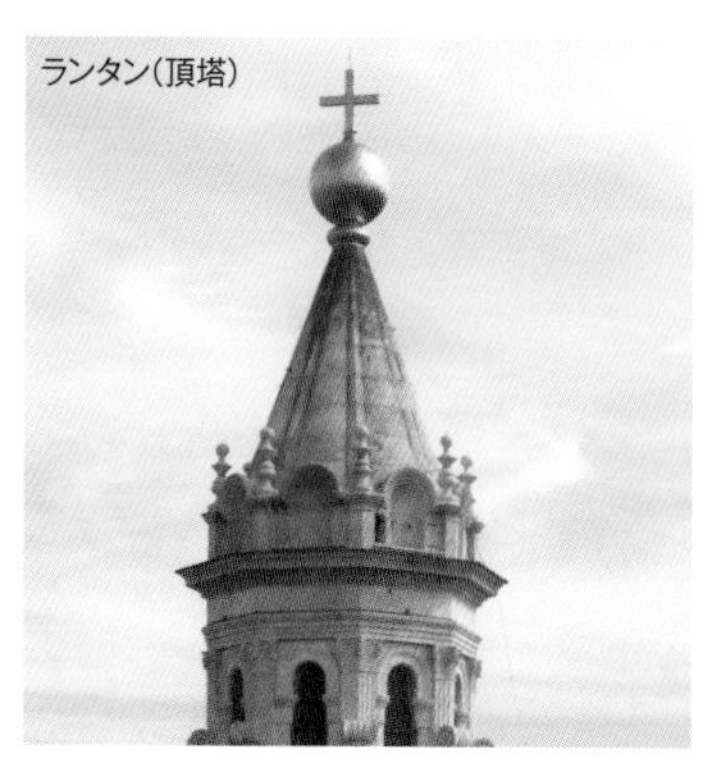
ランタン（頂塔）

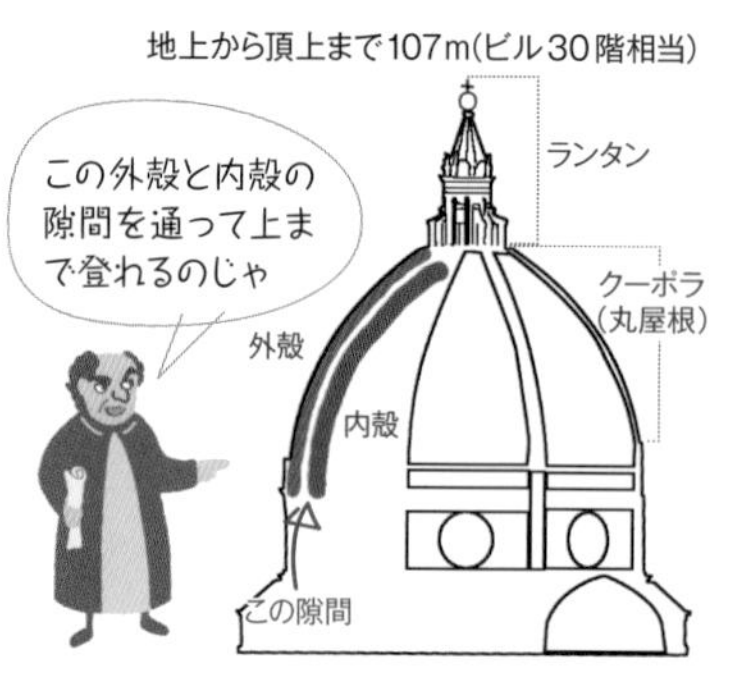
地上から頂上まで107m（ビル30階相当）
この外殻と内殻の隙間を通って上まで登れるのじゃ
ランタン
クーポラ（丸屋根）
外殻
内殻
この隙間

ジョットの鐘楼から見たクーポラ（丸屋根）1418年着工～1436年完成

ブルネレスキは、一三七七年フィレンツェの公証人の息子として生まれました。父親は公証人の仕事を継がせたかったのですが、ブルネレスキは機械いじりが大好きで金細工師の工房に弟子入りし、宝石加工から歯車の仕組みまでいろいろなことを学びました。二十一歳の時、サン・ジョバンニ洗礼堂の北扉コンクールでギベルティに敗れてから、ローマに旅立ち、古代の遺跡の中から巨大クーポラを建設するヒントを探しました。そして、フィレンツェに戻ったブルネレスキは、天才的な発明の才を発揮し、ついにフィレンツェの大聖堂（ドゥオーモ）の屋根に世界最大の石造ドーム屋根（クーポラ）を完成させました。

ブルネレスキは画期的な発想や発明の天才というだけでなく、レンガ焼き職人の所に自ら赴き、火加減や、砂と石灰の比率などが守られているかをチェックし、使用するレンガを一つ一つ検査するという完璧主義者でもありました。また、職工たちの安全に気を配り、作業効率を上げるために上がり専用・下り専用階段を設けるなど様々な工夫をこらしました。そのドーム作りに使われた階段を通って、現在私たちもドゥオーモの頂上まで上がることができます。

丸屋根の頂上までの階段・通路

この「矢筈（やはず）積み」というレンガの積み方と、壁を外殻と内殻の二重構造にすることが、この大クーポラ建設成功の重要な秘訣じゃ

最後の急勾配の階段

矢筈積み

外殻と内殻の間の通路

何万回登り降りしたことか！
エイホ
エイホ
わっせ
わっせ

頂上の景色

ランタンから見下ろす

頂上直前の空気穴からの眺め

ランタン部分

ランタンから見るジョットの鐘楼

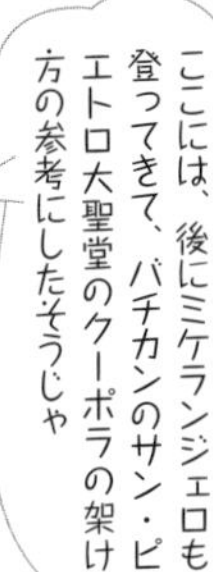
ここからの眺めは最高じゃ

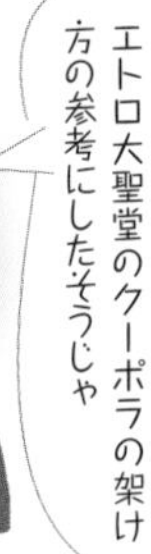

ここには、後にミケランジェロも登ってきて、バチカンのサン・ピエトロ大聖堂のクーポラの架け方の参考にしたそうじゃ

Firenzeで見るブルネレスキ

- サンタ・マリア・デル・フィオーレ大聖堂(クーポラ)
- ドゥオーモ付属美術館
- バルジェッロ国立博物館
- サンタ・クローチェ教会(パッツィ家礼拝堂)
- サン・ロレンツォ教会(聖堂部分・旧聖具室)
- サント・スピリト教会
- 捨児養育院
- サンタ・マリア・ノヴェッラ教会
- ロトンダ
- グエルファ館

ブルネレスキは、クーポラ建設と並行して、多くの重要な建築事業に携わり、現在のフィレンツェの街の原型を作り上げました。

白の漆喰壁と、ピエトラ・セレーナというグレーの石材を用いた柱やアーチによって構成されるルネサンス様式は彼によって確立されました。その古代建築から学んだ美の比例に基づくリズミカルで簡素な空間は、装飾に埋めつくされがちな教会建築の中で、ひときわすっきりと個性的な味わいを持っています。

Galleria dell'Accademia
P.ZA DELLA S.S. ANNUNZIATA
VIA CAVOUR
VIA RICASOLI
VIA DEGLI ALFANI
捨児養育院
ロトンダ
サンタ・マリア・デル・フィオーレ大聖堂
VIA BUFALINI
ドゥオーモ付属美術館
VIA S. EGIDIO
VIA DELL'ORIUOLO
BORGO PINTI
VIA FIESOLANA
VIA DEL PROCONSOLO
CORSO
BORGO DEGLI ALBIZI
P.ZA G. SALVEMINI
VIA VERDI
VIA DELL'AGNOLO
VIA GHIBELLINA
VIA DEI PEPI
VIA S. Ceistfano
バルジェッロ国立博物館
サンタ・クローチェ教会

●ドゥオーモ付属美術館
ここでは大聖堂の建築で使われた15世紀以前の道具やブルネレスキのデスマスク、ランタンの模型などが見られる。

●サンタ・クローチェ教会 パッツィ家礼拝堂
ブルネレスキのシンプルで合理的な美の理念が凝縮されている。内部の白とグレーの幾何学的な配色が美しい。建物もブルネレスキ。

パッツィ家礼拝堂内部

パッツィ家礼拝堂正面(1429年頃)

●バルジェッロ国立博物館
サン・ジョバンニ洗礼堂・北扉コンクール(1401年)

ギベルティ　ブルネレスキ

●サン・ロレンツォ教会
旧聖具室

小クーポラの星図が印象的な美しいメディチ家の墓所。計算しつくされた空間だが、やすらぎを感じさせる。親友ドナテッロによる彫塑装飾とのコラボレーションが見られる。

旧聖具室（1419-28年）

●捨児養育院
（オスペダーレ・デッリ・インノチェンティ）

捨児養育院の正面（1419年頃建築開始）

ブルネレスキ設計、初期ルネサンスの代表的建築物。ロマネスク風のアーチの上の彩色テラコッタ装飾がリズムを与えて美しい。後に建てられた、隣接する建築物もこのアーチ付き回廊を踏襲したため、広場全体がアーチの連続する統一空間になっている。

●サント・スピリト教会

ブルネレスキの比例の法則に基づいて配置された柱が、歩く人にリズムを感じさせる。主祭壇に近づくにつれ、次第に光を感じる設計になっている。

内陣設計（1434年頃プロジェクト開始）

ファサード（正面）は未完成

Stazione
FIRENZE S.M.N
VIA NAZIONALE
VIA FAENZA
P.ZA
DELLA
STAZIONE
PALAZZO
MEDICI RICCAR
VIA DE' PANZANI
サンタ・マリア・
ノヴェッラ教会
サン・ロレンツォ教会
CAPPELLE MEDICEE
VIA DE' CERRETANI
P.ZA D
DUOM
VIA ROMA
P.ZA DELLA
REPUBBLICA
VIA DE
PALAZZO
STROZZI
P.ZA
C.GOLDONI
LUNGARNO CORSINI
VIA DEI CALZAIUOLI
PONTE
ALLA CARRAIA
S. TRINITA
P.ZA
S. TRINITA
VIA PORTA ROSSA
グエルファ館
PONTE
S. TRINITA
Galleria degli Uf
PONTE
VECCHIO
サント・スピリト教会

●サンタ・マリア・ノヴェッラ教会

ドナテッロに感嘆された磔刑像（P.48、ゴンディ家礼拝堂）と、ブルネレスキがデザインしブッジャーノ（養子）が制作した説教壇がある。

ブルネレスキの
ドゥオーモ建設奮闘記

わしがひとりでやる
バカは去れ

サン・ジョバンニ洗礼堂
北扉コンクール
頑張ってください
ハイ
ブロンズ

❶ペストやミラノ軍の脅威にさらされていた一四〇一年、後に「ルネサンスの幕開け」と呼ばれるコンクールが開催されました。

❷このコンクールが、生涯のライバルとなるブルネレスキとギベルティの最初の対決でした。

対照的な性格

24歳 ブルネレスキ
父は有能な公証人で町の名士

やかましい!!
助けなどいらん
先生、手伝いますよ

完全秘密主義。アイディアを盗まれることを極度にいやがった。

23歳 ギベルティ
父親はわからず、継父は金細工師

奥さん、どう思いますか?
とてもいいじゃないか
そうねえ ちょっと人物が…

審判員のみならず、素人の人々からも広く意見を聞いて制作した。

ブルネレスキ作

劇的

❸最終選考に残った二人の作品は甲乙つけがたく、審査員だけでは勝者が決められず一般の市民にも意見を聞きましたが、またしても意見はまっぷたつに分かれてしまいました。

ギベルティ作

優雅

4 審査がもめている様子を見ていたブルネレスキはドナテッロに相談しました。

あんなにもめるなら、いっそゆずった方がかっこよくないか？
そうですね
しかもアニキ、ちょっと劣勢ですよ…
少年ドナテッロ

5 どうしても決められなかった審査委員会は二人を優勝にして、共同制作を求めましたが、

両者優勝！！
私はけっこうです
えっ？ なになにいいの？
お二人で…
審査委員

ブルネレスキは断り、ギベルティにゆずりました。

6 勝者となったギベルティは、第二門扉（北扉）とその後第三門扉（後にミケランジェロから「天国の門」と称えられる）に計四十八年という歳月をささげました。

ギベルティの肖像
第三門扉（天国の門）
The Bridgeman Art Library / DNPartcom

僕の方が少量のブロンズで仕上げられて経済的だから勝ったんだ
丸顔
愛嬌がある
だんご鼻
ギベルティ工房

7 ブルネレスキとドナテッロはローマに旅立ちました。

ケッ
共同制作なんてまっぴらだ。オレはローマに古代の秘密を探りに行く
オ〜イ
アニキィ オレも行くよォ

8 そこでおそらく十年以上、人々に変人扱いされながらも古代の建築物を研究し、忘れ去られていたいろいろな知識や技術を再発見しました。

どっこいせ
この技術を応用すれば、クーポラは絶対架けられる！
パンテオン

遠近法の発見
ブルネレスキ以前
消失点が統一されていない
アンブロージョ・ロレンツェッティ（?）　**「海辺の都市」**
14世紀前半　ピナコテーカ　シエナ

ブルネレスキ以後
ピエロ・デッラ・フランチェスカ（?）　**「理想都市（部分）」**
1470-16世紀初頭（?）　マルケ州美術館　ウルビーノ

クーポラ模型コンクール

一四一八年、再び大規模なコンクールが告知されました。課題は、「ドゥオーモのクーポラの設計及び工法」で、問題の焦点は、どのような仮の支柱を用い、建設中のクーポラを支えるか、にありました。

1 この時を待っていたブルネレスキは、告知の二週間後にはすでにレンガを使った模型制作に入っていました。

高さ二メートル以上、レンガを五千個以上も使い、装飾は一流の彫刻家たちによって仕上げられました。

2 しかし、審査は難航しました。そして最後まで残ったのは、またしてもブルネレスキとギベルティでした。

問題は工事中の支えです
例えばこんな…
みなさん
高さ91mですよ
土を詰め込んで支えて、後でかきだせばいい!
ギャハハハ そりゃ名案だ
土の中にコインを混ぜておけば、みんなかきだすのを手伝ってくれるだろうな
どーも
ギベルティ、またお前か!!

3 ブルネレスキは、仮の支柱なしでクーポラを建設できると主張しましたが、誰も信じませんでした。

説明してください
詳しくは申せませんが、私がやればできるのです
冗談キツィよ
支えなしなんてムリに決まってるだろ

4 あまりにも無謀な提案を理解できない審査員の人々はブルネレスキを狂人呼ばわりして、時には会議場から放り出しました。

5 すったもんだの末、結局決着つかず、ブルネレスキとギベルティ、現場監督役のダントーニオの三人体制で工事は始まりました。

月給各々3フィオリーノ（コンクールの賞金は払われず）
よろしく
オゥ！
やるゼ！
ケッ
イテテ

地上43mの宴（うたげ）
必ずやりとげよう
ヤルゼー
オー
安全第一
オー
この高さからさらにクーポラを…

6 一四二〇年八月四日朝九時、歴史的建造物の建築開始を記念して、現場で「朝の宴」が催されました。

画期的 ブルネレスキの発明・工夫あれこれ

この前代未聞の大プロジェクトを実行するには、従来の機械では通用しません。ブルネレスキは、次々と画期的な機械を発明していきました。

石材やレンガなどの巻き上げ機想像図

※タッコラのデッサンより

クーポラ完成まで十数年、何万回と回転し、建材を引き上げ続けました

中でも素材選びには目を光らし、四百万個のレンガを全てチェックしたと伝えられています。

ひびなぞないだろうな？

「矢筈積み」を採用して、ついに支えなしでクーポラを立ち上げました。

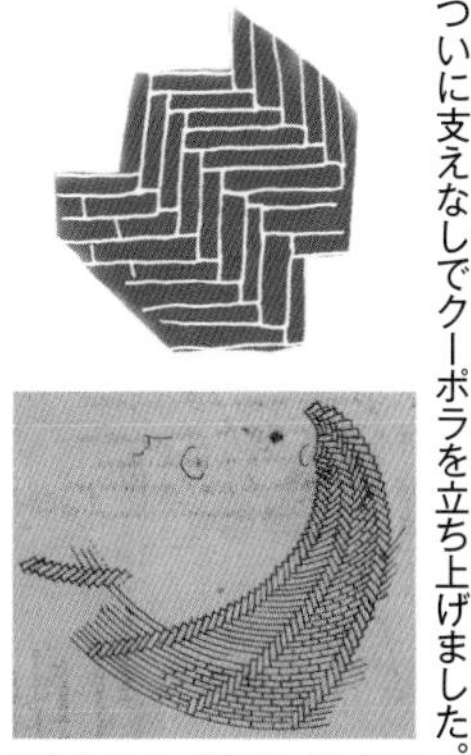

アントニオ・ダ・サンガッロによるデッサン

危険な作業をする石工たちの安全にも配慮しました（おかげでこのような難工事にもかかわらず死者は一人だったと言われています）。

鉄のおきて
やぶったら罰金

- 出勤したら時刻を記入
- ワインは水で2/3にうすめること
- 命綱着用
- 昼を食べに帰らない
- 作業桶を利用して鳩を獲らない
- 巻き上げ機を使って道具を引き上げない

昼食のための登ったり降りたりの時間を節約するため、建設現場に食堂を開設しました。

おつかれ様です
パニーノできたてです
ワインくれ
オレそれ!!

宿命のライバル ブルネレスキ VS ギベルティ

1 ブルネレスキは同じ給金をもらいながら、全く無能なギベルティを追い出そうと思い、ある作戦に出ました。

後はギベルティにまかせた…
ほんとは工法がわからなくて逃げるんじゃないのか?
帰ってねるわい…
うぅ わしはもうダメじゃ…
おい、じいさん大丈夫か?

2 ブルネレスキが急病になったと言って帰ってしまったので、現場はギベルティに全てまかされました。

これはまずいことになった…
ヒントはこれだけ…
まさかわからんとは言えん…
カントク、早く指示下さい

3 非常に難しい部分の工事で、ギベルティは手探りで指示を出しました。

やってみるしかない…
それはあっちに…
ハイ

4 なんとか三本の梁(はり)を設置した頃、驚異の回復力をみせたブルネレスキがクーポラの上に登ってきて…

フフフ…そろそろ音を上げておる頃じゃろう
病み上がりなのに超余裕
いよいよわからん…
まずい…

5 ギベルティのやった仕事を検分すると、

とうぜん
全部やり直しじゃ!!
あ、やっぱり?

やり直しを命じました。

6 無能さを暴かれてしまったギベルティは給金に差をつけられ、その後、首になってしまいました。

天国の門、頑張ろ…
トホホ
作戦大成功
昇給

終わりなき戦い

〈1〉
サン・ジョバンニ洗礼堂北扉コンクール

勝者
ギベルティ

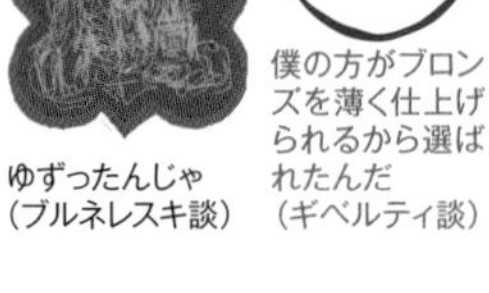

僕の方がブロンズを薄く仕上げられるから選ばれたんだ(ギベルティ談)

ゆずったんじゃ(ブルネレスキ談)

〈2〉
大聖堂クーポラ模型コンクール

勝者 ブルネレスキ

これは結果的に完全に負けたね(ギベルティ談)

当然じゃい(ブルネレスキ談)

〈3〉
大聖堂ランタン模型コンクール

勝者
ブルネレスキ

今度は勝てるかなと思って…(ギベルティ談)

思うな!お前は洗礼堂の門、作っとればいいじゃろが!(ブルネレスキ談)

イル・バダローネの沈没（通称・怪物）

うまく行きっこないわ！
いつでも反ブルネレスキ

1426～1434
天才ブルネレスキにも**挫折と苦難**の日々がありました。

世界初の特許取得

初航海で
いきなり
ガキッ
座礁！
大理石100トン
自信作じゃ
たいへんだ！
おっかしいなぁ
分割払いでいい？
けっこうです

ドゥオーモの外壁を全て大理石で装飾するため膨大な量の大理石をフィレンツェに運ばなければなりませんでした。そこでブルネレスキは大量の大理石を一気に運べる水陸両用の巨大な船を考案しました。しかし…

ブルネレスキは失った大理石とバダローネの建造費を弁償しなければならなくなりました。総額千フィオリーノ、十年分の給料に相当する額でした。

ストライキ

あれやこれや口うるさいブルネレスキに反感を持っていた石工たちは、賃金の増額を求めてストライキを起こしました。

賃金上げろ！
ストライキだ～

そこで、ブルネレスキは彼らを全員解雇し、新しい石工を雇い入れました。解雇された石工たちはあせって仕事に戻らせて欲しいと懇願し、前より安い給料で雇われることになってしまいました。

君らがいなくても仕事は回るのだ
前より安くていいのなら雇ってやる
もう一度
お願い雇って
もうしませ～ん

逮捕＆投獄

一四三四年八月、ブルネレスキは石工組合の会費不払い容疑で、逮捕・投獄されてしまいました。

出せ～
コラ～
不当逮捕断固反対
おそらく反対派の陰謀

容疑
たったの12ソルド、労働者1日分の賃金相当の不払い

幸いにも造営局の委員たちが助けに来てくれたので、二週間で釈放されました。

まったくひどい目にあったわい…
大丈夫じゃないわい
大丈夫ですか？

ドームの奉献

1 数々の困難を乗り越え、着工から十六年後の一四三六年、ついにクーポラは完成しました。そして、教皇エウゲニウス四世による大聖堂献堂式が行われ、続いて、五ヵ月後にドームの奉献が行われました。

最後のレンガ
しみじみ…
我ながらよくやった…

フィエーゾレ司教によって、ドームのてっぺんに最後のレンガが設置されました。ブルネレスキはついに前人未踏の大事業をやってのけ、フィレンツェ人の長年の夢をかなえたのでした。

最後の闘い ランタン模型コンクール

2 しかし、実際には最後の難関が残っていました。クーポラの要とも言えるランタン（頂塔）の設置です。再びコンクール形式で模型が募集され、またしてもギベルティも参加しました。

老いてもチャレンジ精神は忘れんぞ
いいかげんにせーよ
またお前かっ!
勝者
ブルネレスキ

3 軍配は、ここでもまたブルネレスキに上がりました。そして、これが二人の長い戦いの最後となりました。

4 せっかく無事に積み上げたクーポラにこんな重い物を載せて大丈夫か、と心配する人々に…

重い物を載せた方がより安定するのじゃ!
バカにはわからん
いいかげんワシを信じろっ!
くずれたらどうするんじゃ?
ぬーん?

と一笑に付して、安心させたとか。

5 ブルネレスキは、最後の完成を見届けられず世を去りましたが、このランタンの様式は長く手本とされました。

一四四六年四月十五日、ブルネレスキは亡くなりました。享年六十九。多くの人々が集まり、大聖堂で荘厳な葬儀が行われました。
そして、彼が生涯をかけて取り組んだ大聖堂の地下でいまも静かに眠っています。

その後のギベルティ

ある人が以前、ブルネレスキにギベルティに関して質問したことがありました。

ギベルティの行ったことで一番良いことは何でしょう?
レプリアーノの土地を売ったことさ
ギベルティが所有していた全く収穫の上がらない農地
そりゃあ君…

そんな風にからかわれていたギベルティでしたが、ブルネレスキの死後一年後に「天国の門」を完成させ、名声を欲しいままにし、一四五五年に亡くなりました。享年七十七。

天国の門　聖ヨセフ伝の一場面

ギベルティ工房
やれやれ、一生かかってしまったわい。マゾリーニ、ウッチェッロ、ドナテッロなど優秀な弟子たちにたくさん手伝ってもらったよ

ブルネレスキの偉業は、誰もなしえなかった大クーポラを架けることを成功させただけでなく、従来、職人の仕事だった建築を、知識とセンスを必要とする知的職業に引き上げたことでもありました。そして、古代建築の美の比率を応用し、今日のフィレンツェの街の景観の基礎を作りました。

今日も大聖堂の真横からクーポラを見守り続けています。

ルイージ・ポンパローニ
1830年　ドゥオーモ広場　フィレンツェ

ドナテッロ

DONATO SCVLTORE
FIORENT.

リアルな人間像に迫った彫刻の革新者

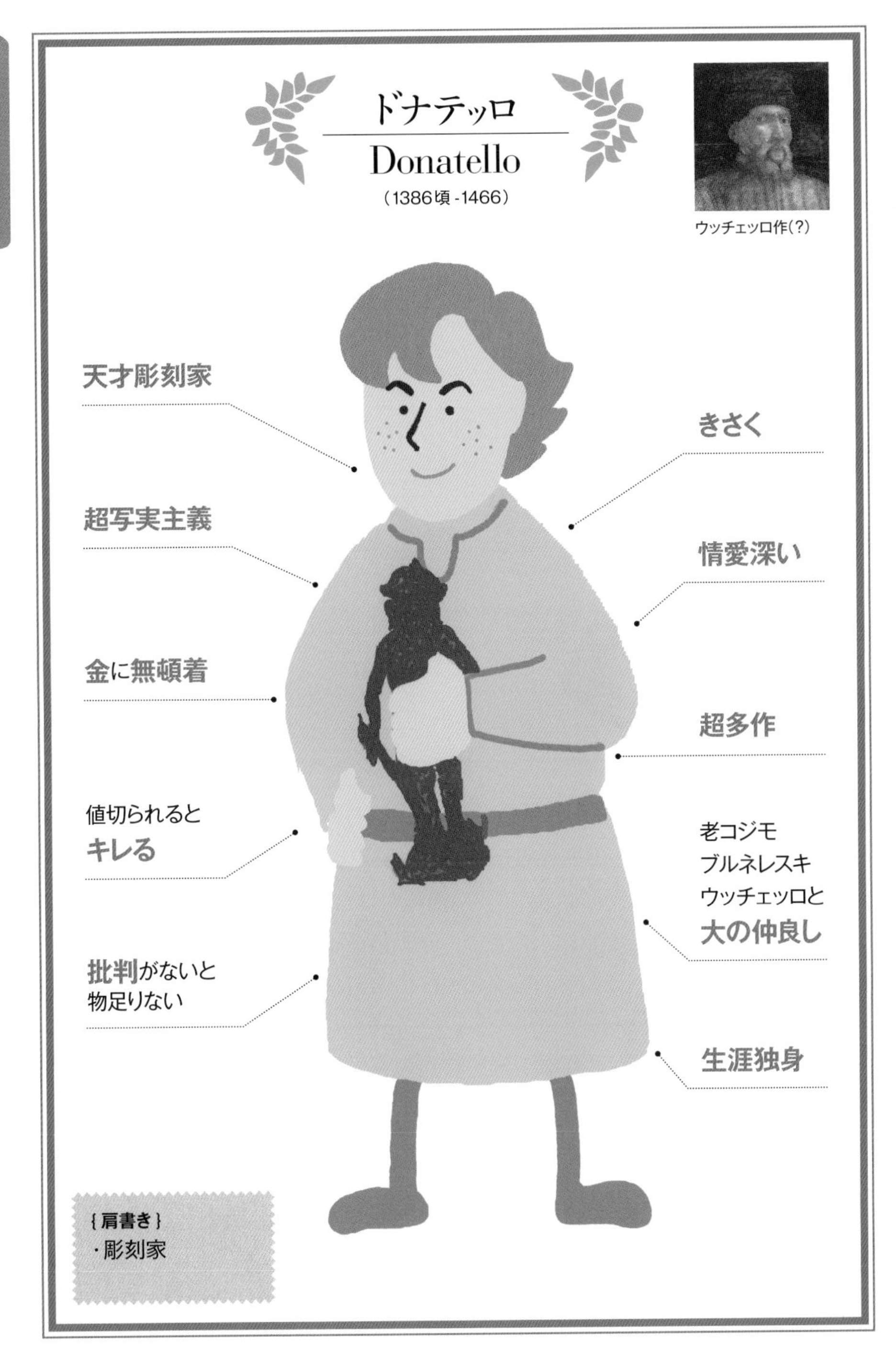
ドナテッロ
Donatello
（1386頃-1466）
ウッチェッロ作（?）
天才彫刻家
超写実主義
金に無頓着
値切られると
キレる
批判がないと
物足りない
きさく
情愛深い
超多作
老コジモ
ブルネレスキ
ウッチェッロと
大の仲良し
生涯独身
{肩書き}
・彫刻家

ドナテッロの傑作彫刻

ドナテッロの革新

人体を解剖学的に正確に把握したので、個々の部位が運動可能な筋肉となった。そして、服はその上から着せられた二次的なものとして表現された。

これから戦いに行く意気込みは目を見てもらえばわかるだろ？
古代以来初の自立彫刻

「聖ゲオルギウス」　1416年頃
バルジェッロ国立博物館
フィレンツェ

私たち、こんな風に、建物の装飾の一部だったの。

「人像柱」　12世紀中頃
ノートル・ダム大聖堂
シャルトル

彼は自分でバランスをとって、立っているんだ。こういう表現は、古代以来行われていなかったんだ

僕の肉体、きれいでしょ
つるつる美少年
官能美の復活
古代以来初の裸体像
革命的代表作

「ダヴィデ」　1435-42年頃
バルジェッロ国立博物館　フィレンツェ
The Bridgeman Art Library / DNPartcom

ドナテッロは、初期ルネサンスの彫刻の革新者です。ブルネレスキとともにローマに赴き古代彫刻の研究を重ね、長く「建物の装飾の一部分」となっていた彫刻を建築物から独立させ、「自立する」芸術として復活させました。

ドナテッロは八十年近い生涯を通じて、大理石像、ブロンズ像、木彫、浮き彫り彫刻、紋章制作に至るまで、様々な種類の仕事を数多く手がけました。そして古代の技を自分のものとしただけでなく、長い間彫刻をしばっていた従来のしがらみを取り払い、理想化されていない真の人間の姿を追求したルネサンス様式を確立しました。

世界中にあるこのような騎馬像は全てわしの真似をしているのじゃ

「ガッタメラータ騎馬像」 1443-53年頃
サンタントニオ大聖堂前広場 パドヴァ

わしは預言者の一人で、ズッコーネというあだ名で呼ばれておる。"大頭"の意味じゃ。
超個性的
人格の表現

「預言者ハバクク(通称ズッコーネ)」
1413-25年 ドゥオーモ付属美術館
フィレンツェ

僕はいつも何か誓う時、神にじゃなくて、「ズッコーネに誓って」と言っていたよ

僕は街の人気者だったんだ

フィレンツェ共和国のシンボル「マルゾッコ」
バルジェッロ国立博物館 フィレンツェ

私が伝えたいのは私の哀しみなの…
超前衛的
全身で「悔悛（かいしゅん）」、「苦悩」という感情を表しているんだ
すごく現代的だろ

「マグダラのマリア」 1455年頃
ドゥオーモ付属美術館 フィレンツェ

ゴシック期の彫刻は、厳格な表情、動きを封じ込めた姿勢、威厳に満ちた近寄りがたい聖人の姿を表現してきました。しかし、このドナテッロの徹底したリアリズムの追求により、彫刻は、個々の人格・感情を持ち、動く肉体を持つ「リアルな人間像」を表現するものになりました。

ドナテッロはギベルティから優雅さを、ブルネレスキからは遠近法の理論を学び浮き彫り彫刻などに応用しました。そして長い活動期間の中で、古典をつねに尊重しながらも、晩年には「マグダラのマリア」のようなシュルレアリスムの先駆とも言えるような作品を作り出しました。

天才彫刻家 ドナテッロはこんな人

しゃべれ!!

1 作品に不足しているのは声だけだと思っていたので、制作中しばしば…

…
しゃべれ しゃべれ この野郎!!
そんなこと言われても…

と、語りかけました。

金に無頓着

2 お金は天井から吊るしたかごに入れっぱなしだったので、弟子たちは使いたい放題でした。

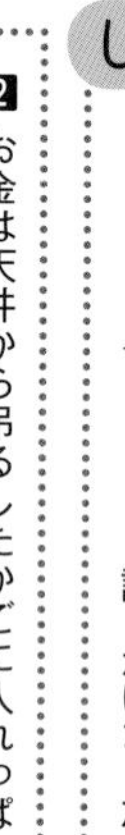

フフ〜ン
ビョ〜ン
ちょっと借りるだけだよナ?
すぐ返すしな?
そうそう
ちょっとだけ

逆境が好き

3 パドヴァで仕事をしていた時、みな口をそろえて褒めそやすので、

ワー
パチパチ
ワー
パチパチ
ガッタメラータ騎馬像
大傑作だ
彼は天才だ
パドヴァの宝だ
これはすごい
古代の作品に匹敵する出来だ
この町の人たちは、批判も文句もいちゃもんもつけてこない!

4 物足りなく思ったドナテッロは、批判精神に満ちあふれた故郷フィレンツェに帰ってしまいました。

ありがとう 本当に良くしてもらった
さようなら
僕は悪口を言われないと、成長しない損な性分なんだ…
先生、行かないで…
パドヴァの市民になってください

値切る奴は許さん

5 ジェノヴァの商人に頼まれたブロンズの頭像をドナテッロはたいへん美しく仕上げました。ところが、支払いの時になって、

先生の言い値は1ヵ月の制作期間を考えると高すぎる。1日あたり、半フィオリーノ以上になるじゃないか
調停役の老コジモ
おいおい
商人をなめんなよ

商人のこの言葉に激昂したドナテッロは、

1年分の価値のある物でも、壊すには100分の1時間もかからない!
お前はいんげん豆の商売には向いてるかもしれないが彫刻は無理だな!!
ヒエ〜
こわ〜

と、作品をこなごなに割ってしまいました。そして倍の金額を出す、と言われても二度と応じませんでした。

無知なクライアントへの対処法

❶ ドナテッロはオルサンミケーレ教会に設置するための聖マルコ像を見事な出来栄えで完成させましたが、依頼主はその素晴らしさを理解せず設置を拒んできました。

あんまり良い出来じゃないんじゃない?
な、なぬ〜?!

❷ そこでドナテッロは、

15日間ください。全く別の像に作り替えてお目にかけます

と、持ちかけました。

そおっ? そこまで言うなら…

❸ そして覆いをかけたまま、ほっておきました。

あれ、作業しなくていいんですか?
ほっとけ

❹ 十五日後、何も変えてない像を再び依頼主に見せたところ、今度は感嘆の声を上げたということです。

Oh〜! なんて素晴らしくなったんだ!!
でしょ〜? 苦労しましたもん
バカめ

師弟対決!

❺ 一四三四年四月十四日、ドゥオーモのステンドグラスのデザインコンクールが告知され、ドナテッロとギベルティが参加しました。

ドナテッロ、がんばれ!
好敵手じゃ腕が鳴るわい
師匠、お手やわらかに…

❻ 軍配は元弟子のドナテッロに上がりました。

天国の門、頑張ろ…
トホホ
勝者 ドナテッロ
ドナテッロ

親友対決

ドナテッロ vs ブルネレスキ

1 ドナテッロは苦心の末、会心の出来栄えの木製磔刑像を作り、それを大親友ブルネレスキに見せました。

どうだい?
いいだろう
・・・

2 率直なブルネレスキは

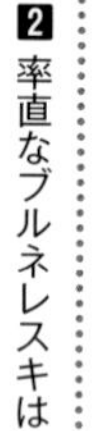

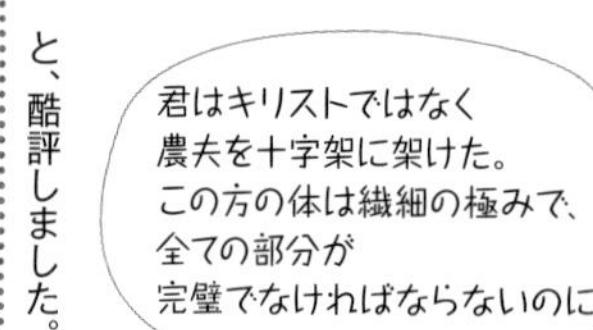
君はキリストではなく
農夫を十字架に架けた。
この方の体は繊細の極みで、
全ての部分が
完璧でなければならないのに
ぶっちゃけ・・・

と、酷評しました。

3 褒められると思っていたのに、こきおろされたドナテッロは、

口で言うほど簡単なら、
君も木で農夫でない
キリストを作ってみたらいい!
・・・

それを聞いたブルネレスキは黙って家に帰り、こもって制作を始めました。

4 数カ月後、ブルネレスキはドナテッロを昼食に誘いました。旧市場で買い物をし、それらをドナテッロに渡し、

これを持って
先に家に行っていてくれ。
わしもすぐに帰る
ちょっと野暮用があってな
食材じゃ
?
うん、いいけど

と、言いました。

5 先に家についたドナテッロは、完璧に仕上げられているブルネレスキの磔刑像を目の当たりにし、驚愕しました。

6 そして、戻ってきたブルネレスキに言いました。

キリストを作ることを
許されたのは君で、
僕に許されたのは農夫なんだ
全部落としてしまって何を食べるつもりだい?
僕はもうおなかいっぱいだよ

それは勝ち負けではなく、ドナテッロは徹底的にリアリズムを追求し、ブルネレスキは理想美を追求した結果でした。

※この逸話の、ドナテッロの磔刑像はサンタ・クローチェ教会に、
ブルネレスキのはサンタ・マリア・ノヴェッラ教会に現存しています。

厚い友情　ドナテッロ & 老コジモ

1 パトロンであり大親友であった老コジモは臨終の時、息子ピエロに老いたドナテッロのことをよろしく頼むと遺言しました。

あいつは天才じゃが、金に関してはめっぽう弱いから、老い先が心配なのじゃ…
わかりました。まかせて下さい。

2 そこでピエロは父親の遺志を実行し、ドナテッロにカッファジョーロの農園を贈りました。

これで働かなくても食べていけるわい
左うちわじゃ
年老いたドナテッロ

3 ところが、ドナテッロは一年もたたずに、ピエロのところに農園を返還しに来ました。なぜなら…

嵐で果物ワインが全滅
鳥小屋の屋根が飛んだ!
コケ～

役人が税金代わりに家畜を連れていってしまった
モォ
だんなどうしましょう…
かんべんしてくれ! 毎日トラブルを持ってくるナ!
コケ～
返しますわ
ほとほと疲れたわい
こんなに心配事が増えるなら飢えた方がいいわい
権利書 カッファジョーロ
おやおや

4 そこでピエロは農園を引き取り、収益と同額のお金を銀行に振り込み、毎週引き出せるように取り計らいました。

こうしましょう
それはありがたいすまないね

5 一四六六年十二月ドナテッロは亡くなりました。そして老コジモの遺言通り、老コジモの墓の近くに埋葬されました。

お前おそかったなぁ
待ちくたびれたぞ
ドナテッロ!
やあやあどーもどーも

マザッチョ

MASACCIO DA S.GIOVANNI
PITTORE.

絵画世界を一変させた夭逝の天才

マザッチョ
Masaccio
（1401-28）

自画像（?）

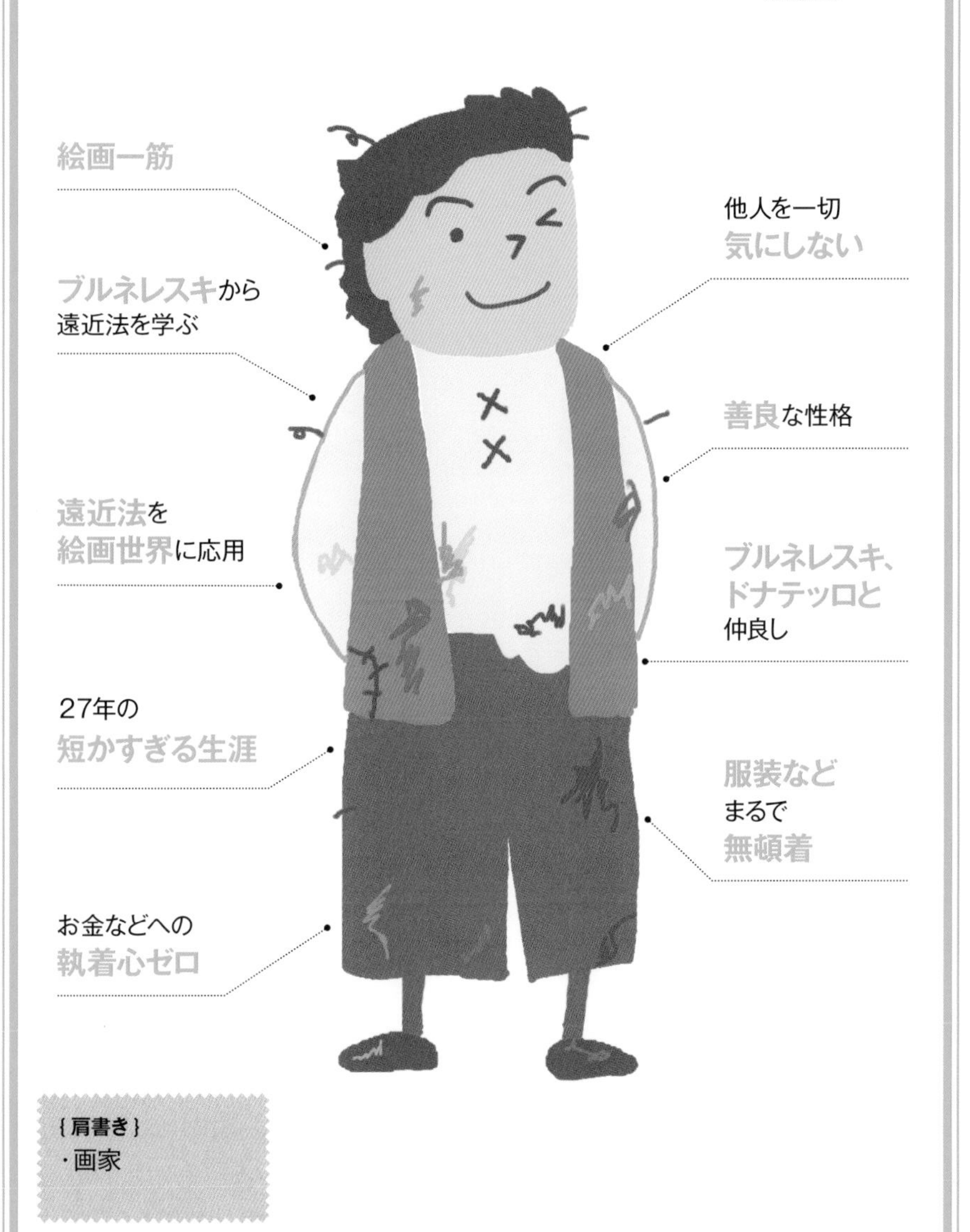
絵画一筋
ブルネレスキから
遠近法を学ぶ
遠近法を
絵画世界に応用
27年の
短かすぎる生涯
お金などへの
執着心ゼロ
他人を一切
気にしない
善良な性格
ブルネレスキ、
ドナテッロと
仲良し
服装など
まるで
無頓着

{肩書き}
・画家

初期ルネサンス 幕開けの地
ブランカッチ礼拝堂 Story

La chiesa di
Santa Maria
del Carmine

❶一四二四年頃、マザッチョとマゾリーノは、ブランカッチ家から、サンタ・マリア・デル・カルミネ教会にある一族の礼拝堂の壁画装飾（フレスコ画）を依頼されました。

頑張りますので どうぞよろしく
こちらこそ

❷マゾリーノは、国際ゴシック様式の、優雅でエキゾチックな画風が特徴の画家でした。

これで当時は なかなか人気が あったのじゃぞ

❸二人の間に年の開きはありましたが、親方と弟子の関係ではなく、対等に協力し合って、統一された空間を作り出そうと力を合わせました。

ここと ここは 僕が担当するので ここをお願いします

よし そうしよう

マザッチョ 22歳

マゾリーノ 41歳

その結果、このような配分になり、二人が完成できなかった部分は、フィリッピーノ・リッピが完成させました。

初期ルネサンスの人気画家　夢の競演
ブランカッチ礼拝堂

1 マザッチョ
2 フィリッピーノ・リッピ
3 マザッチョ
4 マザッチョ / フィリッピーノ・リッピ
5 マゾリーノ
6 マザッチョ
7 マザッチョ
8 マザッチョ
9 マゾリーノ
10 フィリッピーノ・リッピ
11 マゾリーノ
12 フィリッピーノ・リッピ

この礼拝堂はその後、絵画を学ぶ者にとって学校的存在となり、若きミケランジェロも模写するために通いました。

マザッチョはマッチョな肉体追求派

正確な遠近法に基づく建築物
堂々とした人物像

❸「貢ぎの銭」1427年

以前は爪先立ちみたい
なんて素敵なふくらはぎ！
地に足がどっしり着いてる

シモーネ・マルティーニ
「フランス王ルイ9世」　14世紀前半
サン・フランチェスコ教会　アッシジ

マザッチョの革新

解剖学的にも正確な肉体描写
遠近法に基づいた正確な奥行き空間
古典主義的理想型人物像
（堂々としていてリアルな人物）

僕はまず可動性のある筋肉を持った肉体を描き、その上から服を着せたんだ。さらに感情と身振りの関係にも着目したよ

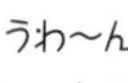

でておいき！

悲しみを全身で表現

なんてことをしてしまったんだ…
うわ〜ん

❶「楽園追放」　1424-25年

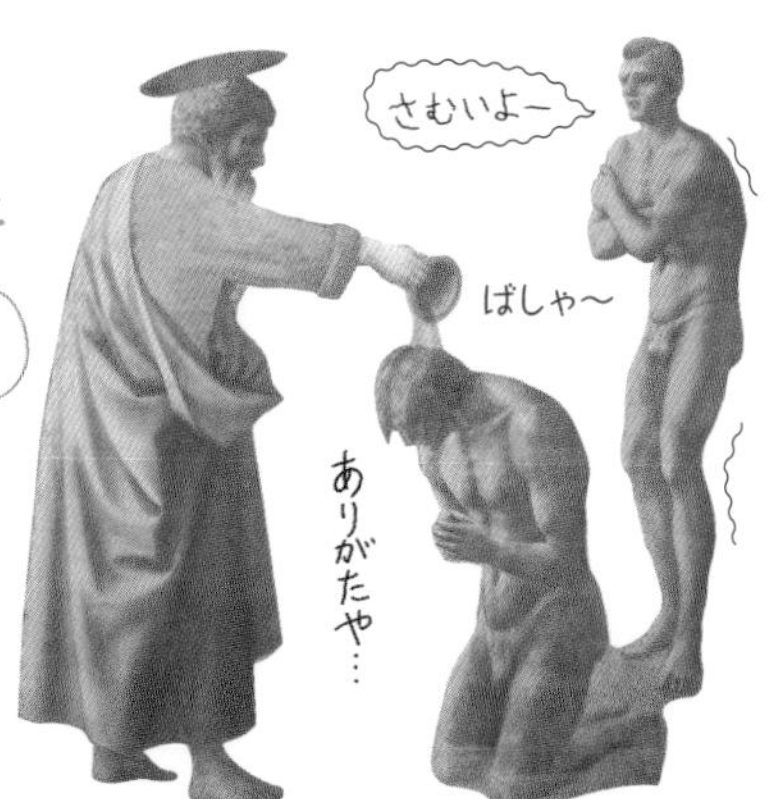
さむいよ〜
ばしゃ〜
ありがたや…
こんなマッチョな肉体表現は初めて!!

❼「改宗者の洗礼(部分)」　1424-27年頃

マゾリーノは優雅な物語叙述派

わしの特徴は、優美で宮廷的、ミステリアスでおしゃれな雰囲気じゃ
召し上がりなさいよ
むむ…
どうする？

⓫「アダムとイヴ」1424-25年

マゾリーノは、国際ゴシック様式の伝統的な表現を継承しました。優美で気品ある人物、背景の事細かな描写で、ある一場面を豊かに物語っています。

❾「足萎えの治癒とタビタの蘇生」1424-25年

私たちっておしゃれよね
あなたの帽子も素敵よ

マザッチョ革命　"一点透視遠近法"を用いて描かれた最初の絵画!!

マザッチョ、やったな！わしの発見した遠近法を、見事に絵画の世界に応用したな！
天井のアーチがほんとにへこんで見えるでしょ

このフレスコ画は、こともあろうに最初にこの絵を絶賛したヴァザーリ自身の板絵によって覆われ、1861年に再発見されるまで、長い間忘れ去られた存在となっていました。

ごめんなさい…やってしまいました…

マザッチョ　「三位一体」1426-28年頃
サンタ・マリア・ノヴェッラ教会　フィレンツェ

フィリッピーノ・リッピ

ブランカッチ礼拝堂を見事に完成させたのは、マザッチョやマゾリーノの仕事を見て育ったフィリッポ・リッピの息子、フィリッピーノ・リッピでした。フィリッピーノは二人の画風をよく研究し完全に調和するように仕上げました。
十八世紀にサンタ・マリア・デル・カルミネ教会はひどい火災に見舞われますが、このブランカッチ礼拝堂は奇跡的に焼け残り、今日でも彼ら三人の偉業をはっきりと見ることができます。

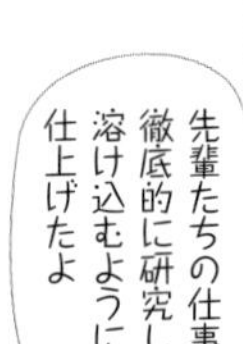

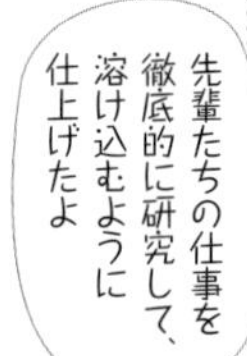
先輩たちの仕事を徹底的に研究して、溶け込むように仕上げたよ

僕はとても器用なんだ

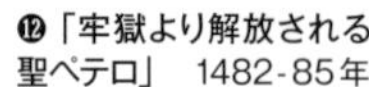

⓬「牢獄より解放される聖ペテロ」　1482-85年

天才画家

マザッチョはこんな人

汚いトンマーゾ＝マザッチョ

マザッチョの本名はトンマーゾでしたが、あまりにいつも汚い格好をしていたので、トンマーゾの蔑称"マザッチョ"と呼ばれていました。

太っちょの"ちょ"みたいなもん？
ん〜、ま、そんなもんかな？
わかった！
親しみもこもってる感じだね

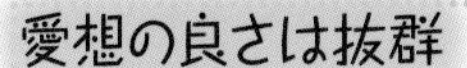

いやあ、気にならないんだよな〜
そんなひどい？
お前もうちょっと服、なんとかならんのかい？
…いや、だから気にしろと言ってるのよ

愛想の良さは抜群

いつも人に喜んでもらうことだけを望んでいるような根っからの善人でした。

すぐ描き直します
もっとあたくしをきれいに大きく！

金銭にも全く無関心

金銭にも全く無頓着で、貸したお金もよっぽど自分が困らない限り、取り立てたりしませんでした。

いつでもいいよ
わりィな倍にして返すからよ
金

そんな善良な性格の持ち主だったマザッチョは、ブルネレスキやドナテッロなど、他の分野の天才を友人に持っていました。

ちょっと行ってくる
早く帰ってこいよ

しかし、マザッチョは仕事先のローマで、突然死んでしまいました。その死はあまりにも突然で毒殺の噂がたつほどでした。

その訃報を聞いたブルネレスキはつぶやきました。「マザッチョを失ったことは我々にとって大きすぎる損失だ…」と。

パオロ・ウッチェッロ

PAVLO VCCELLO PITTOR
FIORENT.

遠近法が可愛くて仕方がなかった風変わりな画家

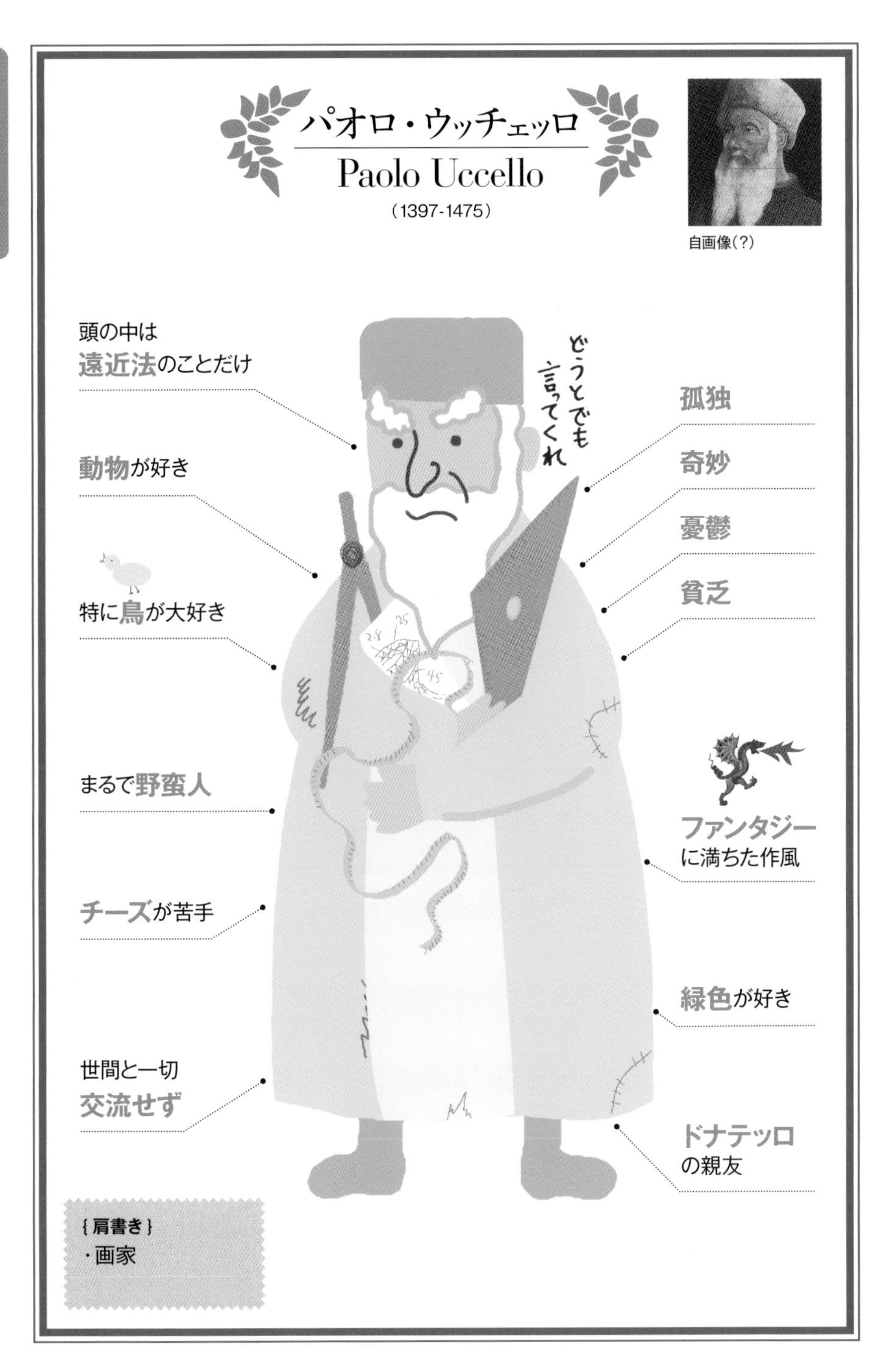
パオロ・ウッチェッロ
Paolo Uccello
（1397-1475）
自画像(?)
頭の中は
遠近法のことだけ
どうとでも
言ってくれ
動物が好き
特に鳥が大好き
まるで野蛮人
チーズが苦手
世間と一切
交流せず
孤独
奇妙
憂鬱
貧乏
ファンタジー
に満ちた作風
緑色が好き
ドナテッロ
の親友
{肩書き}
・画家

ウッチェッロの傑作名画

手前に飛び出してくる馬の脚の表現に、わしの短縮遠近法がばっちり活かされているのじゃ

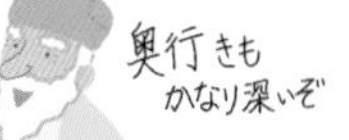
奥行きも
かなり深いぞ

「サン・ロマーノの闘い」 1435-60年頃 ウフィツィ美術館 フィレンツェ

お姫様の家族じゃ

動物が得意じゃから、架空の動物でもお手の物じゃ。よく見るとはるか向こうにもドラマありじゃ

「聖ゲオルギウスと竜」 1456年頃 ジャックマール・アンドレ美術館 パリ

パオロ・ウッチェッロは、自分で研究した遠近法を駆使して、独特で幻想的な世界を描き出す非常に個性的な画家でした。彼にとって重要なことは、自然を目に見えるように表現することよりも、彼の理論にのっとって、設定された空間の中に人間や動物を配し、物語を彼独自の色使いで語ることでした。

ウッチェッロは、おそらく十歳くらいから、ギベルティの工房で修業を積み、ヴェネツィアでモザイクの仕事に携わりました。その後、フィレンツェに戻り、ドゥオーモのフレスコ画や、サンタ・マリア・ノヴェッラ教会の緑の回廊などの傑作を残しました。

遠近法の研究に没頭した割には奥行き表現が正しくないとか変な色使いだとか、そのせいで晩年は不遇だったなど、いろいろ言われてきましたが、ウッチェッロの不思議なファンタジーの世界は、現代の私たちを魅了する力を十分持ち続けています。

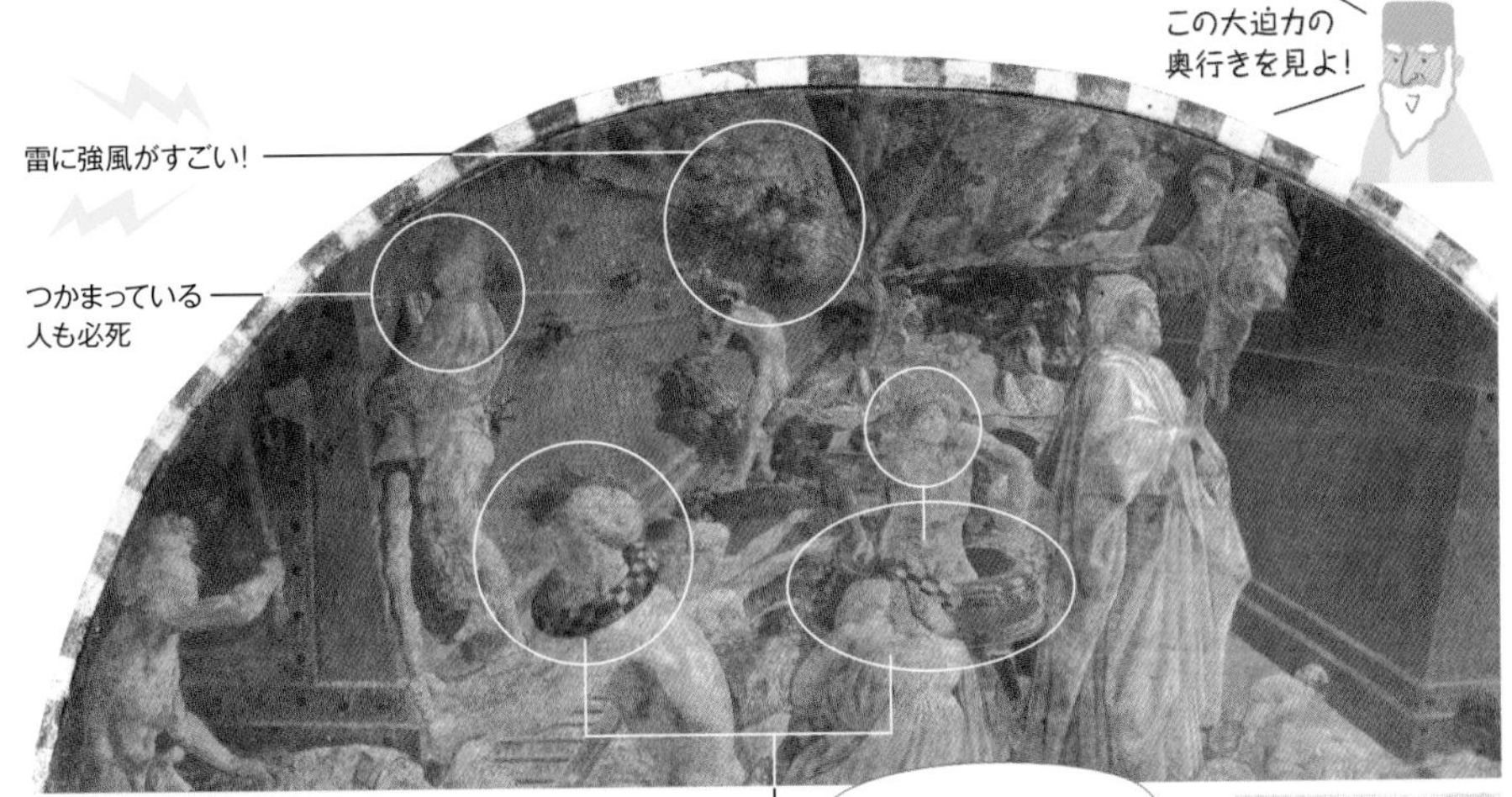
この大迫力の
奥行きを見よ！
雷に強風がすごい！
つかまっている
人も必死

「大洪水とその沈静」15世紀中頃
サンタ・マリア・ノヴェッラ教会 緑の回廊　フィレンツェ

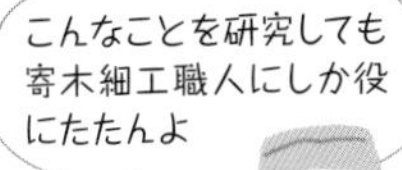
こんなことを研究しても
寄木細工職人にしか役
にたたんよ

なにを言うか

「壺の習作」
ウフィツィ美術館
フィレンツェ

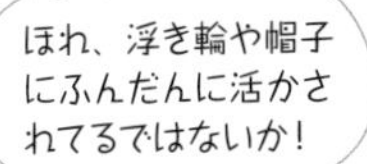
ほれ、浮き輪や帽子
にふんだんに活かさ
れてるではないか！

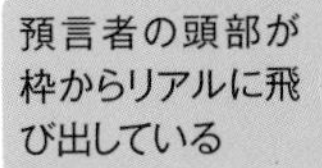
預言者の頭部が
枠からリアルに飛
び出している

「ジョン・ホークウッド騎馬像」1436年
ドゥオーモ　フィレンツェ

この騎馬像の台座の部分と、上部の騎士と馬の部分の消失点はわざと異なる設定になっています。台座は下から見上げる鑑賞者の目線、騎馬像部分はもう少し遠くから全体を眺めた時の目線の位置を想定して描かれています。

「預言者の頭部のある時計文字盤」1443年
ドゥオーモ　フィレンツェ

パオロ・ウッチェッロ物語

三度の飯より
遠近法が好き

1 フィレンツェの画家パオロ・ウッチェッロは遠近法の魅力にとりつかれ…

こ、これはすごい…
遠近法

2 その問題に没頭するあまり、何週間も何ヵ月も家に閉じこもって研究を続けました。

3 その結果、誰とも交際せず、身なりもかまわない、偏屈で孤独な人になってしまいました。

ほら、あの人よ 遠近法にとりつかれた
変人よ
ああ、あの人が…
ムムム、どうもわからん…

彼が遠近法に費やした時間と努力を普通のデッサンに向けていたら、とても素晴らしい画家になったのに…

ヴァザーリ

4 しかし、動物はこよなく愛し、鳥、猫、犬など、貧乏で飼えないからと、自分で描いたデッサンを家に飾っていました。中でも特に、鳥を描くのがとてもうまかったため、鳥をたいへん愛し、「鳥（ウッチェッロ）のパオロ」、つまりパオロ・ウッチェッロと呼ばれていました。

遠近法を効かせて、
動物を描いている時が
一番幸せじゃ

「夜の狩り(部分)」　1460年頃　アシュモレアン美術館　オックスフォード

5 ある日、フィレンツェ郊外にあるサン・ミニアート教会から、フレスコ画の仕事が来ました。

6 毎日、まかないが付くのは、いいのですが…

お、ちょうど良い所に…
先生お食事です。

7 メニューはいつもチーズの料理、チーズのスープ、チーズ、チーズ、チーズばかりが出されるのでした。

チーズは好きじゃが…

8 いつでもチーズ、チーズ、チーズ、チーズ…

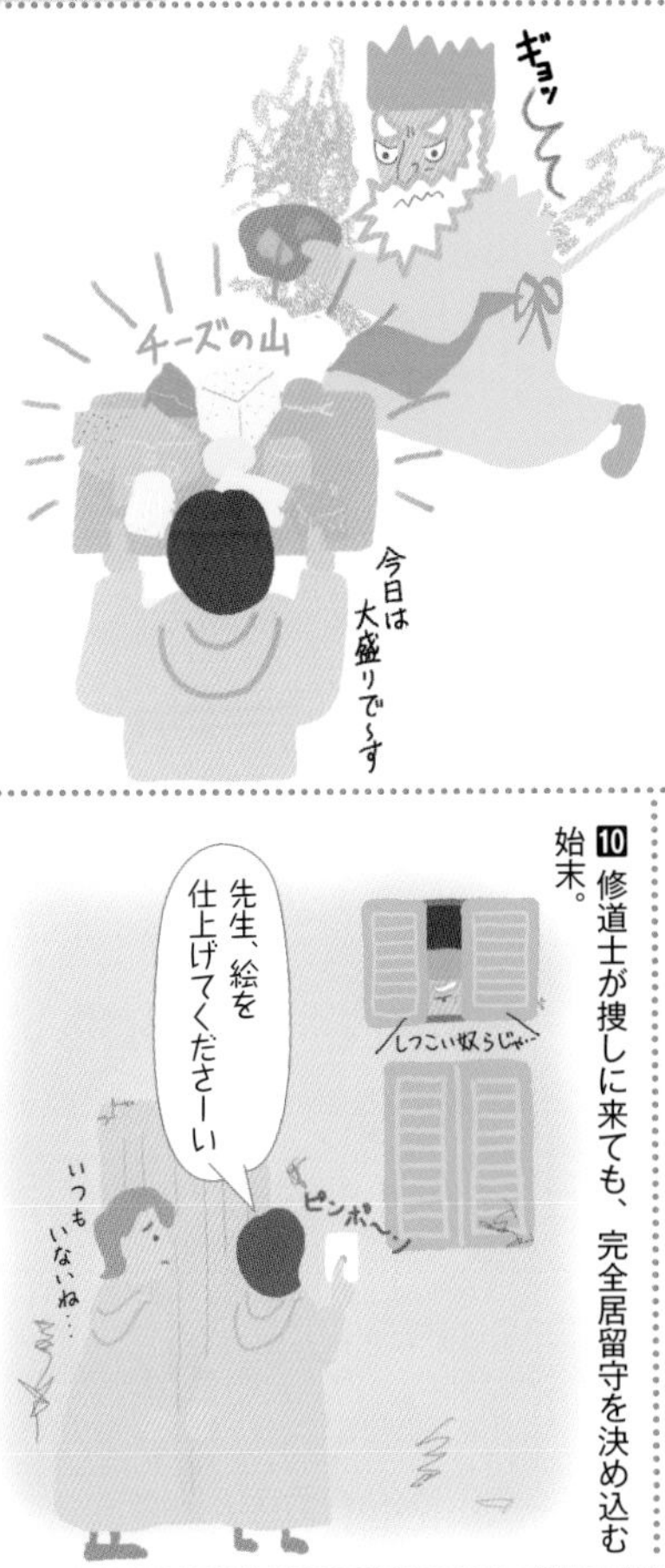
ギョッとして
チーズの山
今日は大盛りで〜す
先生、絵を仕上げてくださーい
しつこい奴らじゃ…
ピンポ〜ン
いつもいないね…

9 ウッチェッロはさすがにうんざりし、仕事を放棄して逃げ出しました。

グォ〜〜!!
もうチーズはいやじゃー

10 修道士が捜しに来ても、完全居留守を決め込む始末。

11 町でその修道士たちに出くわすと、いつも全力疾走で逃げ出しました。

ギャー!!
あっ先生だっ!
逃げ足、速いなぁ

12 ある日、ついに修道士たちがウッチェッロに追いすがり、なぜ仕事を仕上げないのか、なぜ修道士を見ると逃げ出すのか、理由を問いただしました。

コラ!
ムぅ…つかまってしもた…
先生、どうして逃げるんですか?

13 するとウッチェッロは、

あんた方はわしをひどい目にあわせた。いつも**チーズのパイやスープ**でわしの体に大量のチーズを詰め込んだから、**わしはすでにチーズ製**になってしまった。それでいつ体が作品のパテ(充填材)に使われるか恐くなった。これ以上こんなことを続けたら、わしは**"パオロ"**ではなく**"チーズ"**になってしまう

アレ?!
アハハ それは大変だ

と、答えました。

14 それを聞いた修道院長は、ウッチェッロにチーズ料理以外のものを出すようになりました。

これからはチーズ以外も出しましょう
ほんとにィ?
それなら描いてもいいけどサ…

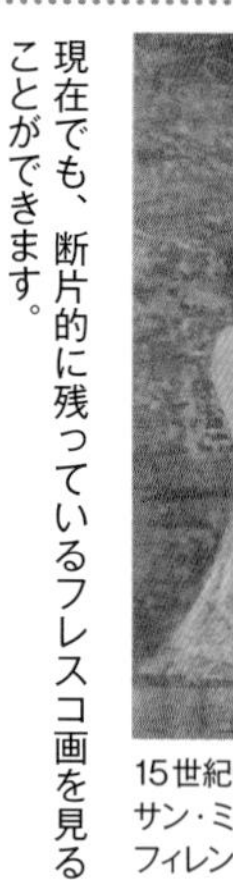

現在でも、断片的に残っているフレスコ画を見ることができます。

15世紀中頃
サン・ミニアート・アル・モンテ教会
フィレンツェ

15 ある日、旧市場の門に絵を描くことになったウッチェッロは、

わしはこの仕事に今までの研究の全てを注ぎ、実力をはっきりさせる！

超やる気

と決意し、机を積み重ねた囲いの中で隠れて仕事をしていました。

16 そこにウッチェッロの親友ドナテッロが通りかかりましたが、

よぉ なにコソコソやってんだ？
ハッ！ドナテッロ！まだ見ちゃいかん！

完成するまで、見せませんでした。

17 後日、ウッチェッロの作品が公開されました。

ワイ
ワイ
どれどれ
おできたな

18 感想を求めたウッチェッロに、ドナテッロは

な、なに…！

ああ、パオロ、隠しておくべき時になって、みんなに披露したな

おいおい…

と、答えました。

19 ウッチェッロは、褒められると思っていたのに逆にひどくけなされたので、すっかり意気消沈して、ますます遠近法の研究に没頭するようになりました。

もうだめじゃ…もうわしには遠近法しかない

20 そんなウッチェッロは、奥さんが「もう遅いから寝ましょう」と言っても、

いやぁ、この遠近法はなんてかわいいんだ♥

もう寝ましょ…

もう少し…

いつでもこう答えたとか…

フラ・アンジェリコ

FRA GIOVANNI DA FIESOLE
PITTORE.

神に愛された天使のような画僧

フラ・アンジェリコ
Fra Angelico
（1400頃-55）

『芸術家列伝』より

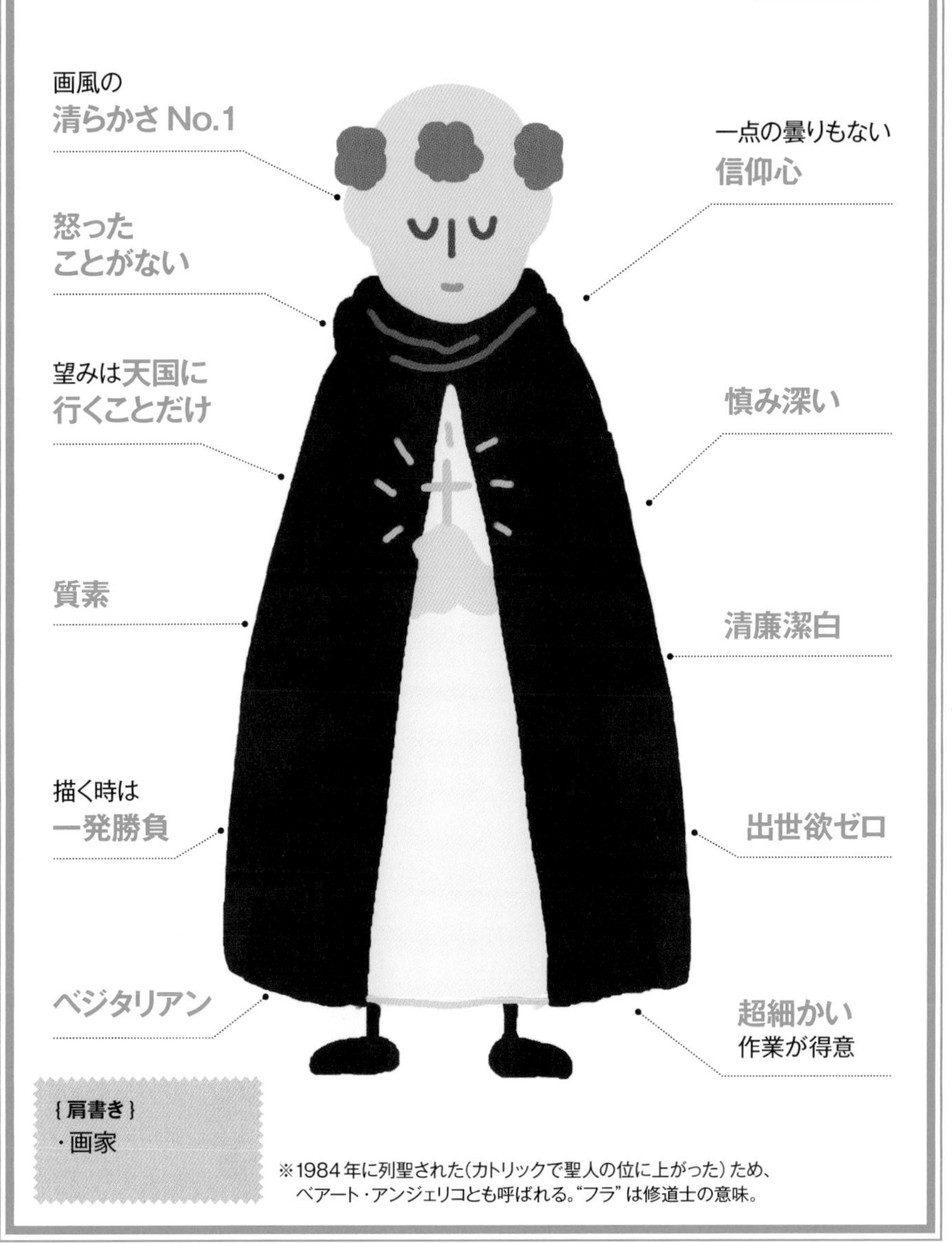
画風の
清らかさNo.1
怒った
ことがない
望みは天国に
行くことだけ
質素
描く時は
一発勝負
ベジタリアン
一点の曇りもない
信仰心
慎み深い
清廉潔白
出世欲ゼロ
超細かい
作業が得意

{肩書き}
・画家

※1984年に列聖された（カトリックで聖人の位に上がった）ため、
ベアート・アンジェリコとも呼ばれる。"フラ"は修道士の意味。

フラ・アンジェリコの傑作絵画

私は「受胎告知の画家」と呼ばれるほど、この絵は人気があります

受胎告知　（このページ全て1420-50年頃制作）

我に触れるな

キリストの変容

キリストの嘲弄

受胎告知

フラ・アンジェリコは、ドメニコ修道会の画僧として、生涯を通じてキリストにまつわる物語を清らかな美しさで描き続けました。活動初期の頃は、後期ゴシックの名残をとどめた作品を描いていましたが、次第にマザッチョの造形性や遠近法を用いた空間処理を取り入れ、さらに、ドメニコ・ヴェネツィアーノやピエロ・デッラ・フランチェスカの光による空間把握、明るい色彩による優美な表現を加え、フラ・アンジェリコ独自の玉虫色に輝くやすらぎをたたえた画風を確立しました。

フィレンツェのサン・マルコ美術館で見ることができる、修道士の祈祷のための小部屋に描かれたフレスコ画群は、建物と完全に調和し静謐な空間を作り出しています。このような形でフレスコ画を鑑賞できるのは、世界でも非常にまれな例です。

フラ・アンジェリコは、修道士という立場から、「絵を通して人々に神の世界を広める」ことの有効性をはっきりと理解している画家でした。その篤い信仰心によって描かれた絵は、他の画家がまねすることのできない深い精神性をたたえています。

※全てフィレンツェ　サン・マルコ美術館

最後の審判
（15世紀前半）

天国 みんな輪になって踊って楽しそう

魂が墓から勢いよく飛び出した跡

地獄 こちらは悪魔から至れり尽くせりの手厚いもてなしを受けている

地獄や聖人の殉教する場面などは弟子に描いてもらうことが多かったです。なぜなら私には恐ろしすぎて…

祭壇画の構造

<リナイウォーリ祭壇画>
（1433年）

当時、祭壇画はしばしばプレデッラと呼ばれる裾絵（すそえ）とともに構成されました。その小さなスペースに主題の聖人のエピソードが描かれ、文字を読めない信者でも、絵から聖人の生涯や聖書の物語を知ることができました。

主祭壇画は**聖母子像**が一番人気

聖ペテロ　聖マルコ

閉じると聖マルコと聖ペテロが描かれている

聖ペテロのエピソード

「聖マルコ福音書」を口述する聖ペテロ

聖母子のエピソード

東方三博士の礼拝

聖マルコのエピソード

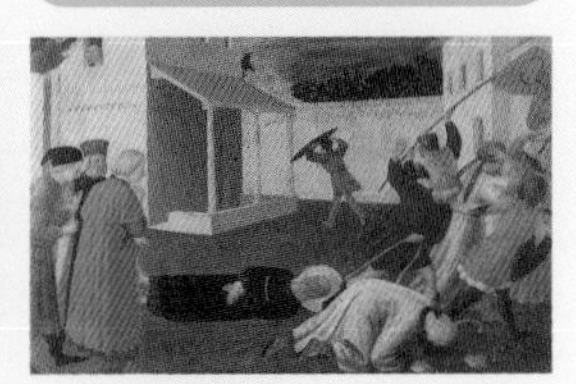

聖マルコの殉教

※全てフィレンツェ　サン・マルコ美術館

天使のような画僧
フラ・アンジェリコ物語

キリストの物語を描くには
いつもキリストと共にあらねば…

1 フラ・アンジェリコは、たいへん敬虔な人物だったので、フィレンツェ郊外にあるフィエーゾレのサン・ドメニコ修道院に入り修道士兼画家としての人生を歩み始めました。

本当に善良な人はいいが、よこしまな奴が軽い気持ちで信仰生活に入るとひどい目にあうから気をつけよう

2 フラ・アンジェリコは、絵筆を取る前には必ず、神に祈りを捧げ…

3 磔刑図を描く時には、涙で頬をぬらさずにはいられない…

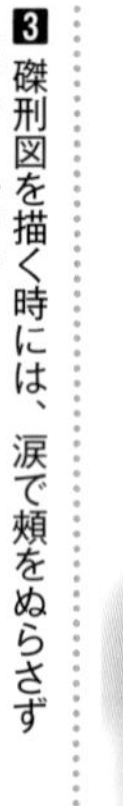

なんとおかわいそうな…

「磔刑図」 一四二〇・五〇年頃
サン・マルコ美術館 フィレンツェ

4 そして、絶対描き直さない。なぜなら…

一気描き
シュシュシュ
それが神の御心だからです。
スゲ〜

5 どんな仕事も誠心誠意、真心をこめて取り組んだので、時にはフライングしてしまうこともあるような…

先生！もう十分です。すでに"ヱ"だとわかりにくくなってしまっています
おっといかんいかん

写本の一部

その名の示す通り、「アンジェリコ＝天使のような」人物でした。

6 時の教皇エウゲニウス四世は、フラ・アンジェリコこそ空席になっていたフィレンツェ大司教の座にふさわしいと考えました。

その者をフィレンツェ大司教に

ハッ

7 しかし、フラ・アンジェリコは、

私は人々を統治するような人間ではありません。私たちの仲間に貧しい人々を愛し、学識が深く、良心的で、神に畏敬の念を払う修道士がいます。彼こそ、この要職にふさわしい人物です

ありがたいことですが アントニーノを推薦します。

えぇ〜〜！断るんですか?!

なんと、このたいへん名誉ある申し出を断ってしまいました。

8 断られてびっくりした教皇でしたが、正直なフラ・アンジェリコの推薦通り、アントニーノをフィレンツェ大司教に任命しました。

頑張ってくれたまえ
ハイ
アントニーノ

サン・マルコ教会のサンタントニーノの回廊は、アントニーノの人生を描いたフレスコ画で飾られています。

分不相応な仕事ならば、より適した人物にゆずるという精神をいつの時代の聖職者たちも見習って欲しいものである

まったく あいつらときたら…

9 さらに、ニコラウス五世から食事に誘われましたが、

どうだね うまい肉でも食わんか？

……

10 フラ・アンジェリコはまたしても断ってしまいました。

修道院長の許可なしに肉は食べられません

な、なぬ?!

院長って…わしゃ教皇じゃが…

相手が最高権力者だろうがなんだろうが、全く惑わされることのない、真に清廉潔白な人物であったことをこれらの逸話は伝えています。

フィリッポ・リッピ

FRA FILIPPO LIPPI
PITTORE FIOR.

愛のためなら神をも恐れぬ破天荒坊主

フィリッポ・リッピ
Filippo Lippi
（1406頃-69）
自画像
女性を描かせたら
ルネサンスいち
頭の中は
オンナのことだけ
何度も
訴えられている
海賊と友達
陽気で快活
弟子に
ボッティチェリ
一応、修道士
脱走癖有り
修道女と
駆け落ち
性格と画風が
一致しない
老コジモが
パトロン
{肩書き}
・画家

聖母子像の巨匠　フィリッポ・リッピの

美人画傑作選

北方からの影響が顕著な細部

このようなリアルなガラスの表現は画期的だった

「受胎告知(部分)」
1440年頃　サン・ロレンツォ教会　フィレンツェ

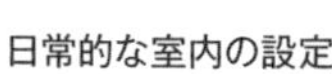

日常的な室内の設定

窓からのぞく風景
本や大理石の質感描写

「タルクィニアの聖母」
1437年　バルベリーニ国立美術館　ローマ

レオナルド・ダ・ヴィンチの空気遠近法の先駆けともいえる、はるか遠くに広がる風景

透けるベールの表現はフィリッポの最大の得意技

「聖母子と二人の天使」　1465年頃
ウフィツィ美術館　フィレンツェ

フィリッポ・リッピは、肉屋のトンマーゾの息子として一四〇六年頃フィレンツェに生まれました。しかし、幼い頃に両親を亡くしてしまい、しばらくおばに育てられましたが、サンタ・マリア・デル・カルミネ教会に預けられ修道士として生きることになりました。

その当時、カルミネ教会ではマゾリーノとマザッチョがブランカッチ礼拝堂のフレスコ画を制作していて、フィリッポはそこから絵の基礎を学び、画家として出発しました。しかし、フィリッポはマザッチョの確かなデッサン力、遠近法による正確な空間把握力は吸収しましたが、人物は骨太でどっしりした古典的理想像ではなく、優雅で美しい独自の表現を確立しました。そしてその奔放な性格からは想像もつかないようなこよなく美しい宗教画を多く制作しました。

また、フィリッポは北方ヨーロッパ絵画の影響を如実に受け、それを応用した最初のトスカーナの画家とも言われています。それは、宝石、ガラス、布地などの徹底した細密描写、遠景に広がる風景、日常的な室内の設定などに見ることができます。

背景は聖アンナが
聖母マリアを
産んだシーン
聖アンナと
ヨアキムの再会
僕のこの美しい女性の表現は当時からとても人気が高く、弟子のボッティチェリや息子のフィリッピーノ、ラファエロの師匠ペルジーノなどに継承される、少女趣味とも言えるほどの甘く優美な人物表現の基礎を築いたのだ
ざくろはキリストの
受難の象徴
ヘロデ王の前で
踊りを披露するサロメ
私は今、ヨハネの首が
欲しいと娘に言わせて
いるところ。冷酷美
女って感じでしょ
このような豊かな
衣の表現は画期的だった
サロメの母で
ヘロデ王の
妻ヘロデア
女好きにしか
女の美は描け
ないのさ!

「聖母子と聖アンナの生涯」
1452年　パラティーナ美術館
フィレンツェ

「森の中の幼な子キリストへの礼拝(部分)」
1460年頃 ダーレム国立美術館　ベルリン

「洗礼者ヨハネの生涯　ヘロデの宴会(部分)」
1452-65年　大聖堂　プラート

「洗礼者ヨハネの生涯　ヘロデの宴会(部分)」
1452-65年　大聖堂　プラート

スキャンダラスな愛の伝道師

フィリッポ・リッピ STORY

LOVE is ALL

1 両親を幼い頃に失ったフィリッポは、おばに育てられました。しかし彼女も非常に生活が苦しかったので、彼は、サンタ・マリア・デル・カルミネ教会に預けられ、修道士としての道を歩むことになりました。

2 ところが、修道士としての勉強には全く興味を示さず、自分の本や友人の本に落書きばかりしている、どうしようもない子供でした。

だめだこりゃ…
ちょっとかせよ さし絵、描いてやるよ
やめろよォ

3 そんなフィリッポでしたが、彼が十九歳の頃、ブランカッチ礼拝堂でマザッチョが初期ルネサンスの幕開けを告げる一連の壁画を制作している現場に居合わせました。

ハイヨ
そこは“楽園追放”じゃな
スゲ～

4 その素晴らしい壁画に感化されたフィリッポは修業を重ね、素晴らしい画家になりました。そして陽気で親切な彼のもとからは多くの優秀な弟子が育ちました。

マザッチョから確実なデッサンを受け継ぎ、さらに僕独自の繊細な感受性による優美な女性像で親しみやすい宗教画の世界を確立したよ
マザッチョ
学ぶ
フィリッポ・リッピ
師弟関係
僕は師匠からやわらかな色彩、美しい女性像などたくさん影響を受けたよ
ボッティチェリ
師弟関係
あまり知られてないけど僕も人気画家だったんだよ
フィリッピーノ・リッピ
＜親子＞

その中にはあの有名なボッティチェリもいました。そして、フィリッポの息子フィリッピーノはそのボッティチェリのもとで修業を積み、彼もまた優秀な画家になりました。

破天荒坊主
フィリッポ・リッピの性癖

❶ フィリッポは、とにかくものすごい女好きで不品行な男であったとヴァザーリは伝えています。例えば…

フィリッポは気に入った女を見かけると、すぐに何も手につかなくなり…

ハッ
いいオンナ…

自分の持っているものを全て貢物にして女をモノにしようとしましたが、それでも思い通りにいかない時は…

ボクの恋人になって
もう全部あげちゃう
ギェ〜 何この人!!

その女の肖像を描くことによって、なんとか恋の炎を消そうとしました。

キャー 助けて〜
あ〜ん
せめて描かせて〜

❷ 修道士であるにもかかわらず、そんなむちゃくちゃな性格のフィリッポでしたが、その絵画の類まれなる才能によって、パトロンにはたいへん恵まれました。

「祖国の父」と慕われ、メディチ家の繁栄の基礎を築いた人物

フィリッポの大パトロン
老コジモ

❸ 彼の才能を愛した老コジモでしたが、あまりにも女の尻ばかり追い回してちっとも仕事をしないフィリッポを見るに見かねて、ついに仕事場に閉じ込めました。

あく〜!! ジジイ閉じこめやがったナ
だせ〜! このヤロ〜
まったく… しょうがない男だ…
ガチャリ

❹ しかし、二日も閉じ込められると、愛というより、ほとんど獣のような激情に捕われてどうにもならず、シーツを切って脱出ロープを作り…

オレをなめるな
スルスル
ちきしょ
キャー また来たー
いやっほ〜い 女はどこだ〜!

窓から逃げ出しました。そして、何日も思う存分放蕩にふけったとか…

わしが間違っておった…
そっ 無理強いはだめよ
恋愛は芸のコヤシ

それを知ったコジモは「類(たぐい)まれな才能を持った者は特別であって車引きのロバのように扱ってはいけないのだ」とつぶやき、二度とフィリッポを束縛しませんでした。

破天荒坊主 フィリッポ・リッピの冒険

1 ある日、フィリッポとその仲間たちがマルカ・ダンコーナの海で遊んでいたら、ムーア人の海賊に全員捕まってしまいました。そして、北アフリカに連れて行かれ十八ヵ月も奴隷にされてしまいました。

ワー
つかまった

2 「このままでは殺されるかもしれない」と考えたフィリッポはなんとかしようと思い…

ギャハハハー
なんとかせねば…

3 火の消えた炭をつかむと、海賊の親分の肖像を白い壁に描き始めました。

オイ、どれい
何やってるんだ？
よいしょ

4 この地方ではこの様なデッサンは全く行われていなかったので、彼らの目にはまるで奇跡のように映りました。

親分そのものじゃねーか!!
どーなってるんだ？
スゲ～
キセキだ

5 奴隷からその噂を聞いた親分は、その技にたいへん驚き、通常なら拷問にかけ処刑するはずを…

わしがもう一人おる…！

6 丁重にもてなし、さらには自由にしてやったとか…。

いつでも遊びに来たまえ
いろいろありがとー またねー
あぁ～ ひどい目にあった こいつが絵が描けてよかった
このように絵画の徳は得難いものであるのじゃ

破天荒坊主 フィリッポ・リッピの愛

1 ある日、フィリッポはついに理想の女性、修道女ルクレツィアに出会ってしまいました。そして、なんとか近づきになろうと彼女をモデルに聖母像を描けるようにかけ合いました。

ポワ〜ン
……
いかん、仕事にならん…

しかし、描くことで恋の炎を消すはずが、逆にますます燃え上がってしまい…

2 ついに修道士と修道女の恋という禁断のおきてを破り、駆け落ちしてしまいました。

一緒に地獄へ行こう！
はい…

3 絶対に許されるはずのない恋でしたが、時の有力者で彼のパトロンでもあった老コジモの働きかけのおかげで、教会からの破門をまぬがれたどころか、一緒に住むことも許されました。

よしっ！お父さんはかわいい妻と子供のために
描きまくるぞ
ホニャ〜

二人の間には息子（フィリッピーノ）と娘も誕生し、幸せな日々の中、フィリッポは数々の名画を生み出しました。しかし、結婚の許しが出ていたにもかかわらず女遊びを止めたくないためか、最後までちゃんと籍は入れなかったとか…

4 フィリッポはその後スポレートで仕事している時に突然亡くなってしまいました。あまりにも唐突な死だったので、その頃しつこく言い寄っていた現地の女の家族に毒殺されたのではないかという噂もたつ始末でした。

親方！そんないきなり死なないで下さい！
まだ全然仕事終わってませんよ
←弟子
お父さんっ！
う〜〜 もうわしゃダメじゃ… ピーノ、あとは頼んだ

5 父親はこんなでしたが、息子フィリッピーノは、立派な画家に成長し、母親の面倒もちゃんと見る孝行息子に育ちました。

僕、お父さんみたいな一流の画家になるよ！
フィリッピーノ 12歳
そうね、ピーノ…しょうがない人だったけど素晴らしい画家だったわ…

BOOK

1450年○月○日

ルネサンス新聞

フィリッポ・リッピ横領罪で告訴される

今回こそ破門宣告か？注目される教会の動向

領収書偽造の疑い

なんでバレしたんだ？

反省の弁を語るリッピ被告

フィレンツェ司教アントニーノ・ピエロッツィ氏は本日未明、カルメル修道会修道士兼画家フィリッポ・リッピを領収書偽造及び金銭横領の疑いで告訴した。リッピ被告は、画家ジョバンニ・ディ・フランチェスコ氏に払わなければならない四十フィオリーノを支払わず、さらに領収書を偽造し、結果的にアントニーノ・ピエロッツィ氏の金をだまし取った疑いが持たれている。

本紙の直接取材に応じたリッピ被告は、

「たくさん悪いことをしました」

と述べ、反省した様子であった。同修道士はこれまでにも金銭上のトラブルや、注文主との契約違反、真筆詐称など数多くのトラブルを起こしている。

修道士フィリッポ・リッピ 修道女を誘拐

白昼堂々大胆な犯行

一四五六年某月某日未明、プラートのサンタ・マルゲリータ尼僧修道院から、同院所属の修道女姉妹二名ルクレツィア・ブーティ（23）とスピネッタ・ブーティが誘拐された。

実行犯は同院依頼の祭壇画を制作していた修道士で画家のフィリッポ・リッピ（50）。

リッピは姉のルクレツィアをモデルに「聖母子」を制作していた間に特別な感情を彼女に寄せるようになり、ついに犯行に及んだものと思われる。

妹がこの事件に巻き込まれた経緯については明らかになっていない。

誘拐後、リッピは姉妹をプラートのサン・ジョバンニ門近くのリッピ所有の家屋に監禁し、そこに立てこもっている模様。

関係筋によると、姉妹は以前からリッピと交友があり、誘拐時に大きな物音がしなかったことから、合意の上での犯行であったとも考えられる。

「女性頭部」
ウフィツィ美術館
素描・版画室
フィレンツェ

フィリッポ・リッピ
駆け落ち事件

教会・同棲黙認

異例の判断の背後に老コジモの影？

実は誘拐ではなく駆け落ち

先日報じられた修道女姉妹誘拐事件は、その後の調べで、合意による「駆け落ち」であったことが判明。

修道士と修道女という許されない恋の逃避行に対する処分は教会の判断にゆだねられる。

現在、三人は以前逃げ込んだリッピ氏所有の家で共同生活している。

コラァ

買い物中のリッピ氏とブーティ姉妹

Scandal SCRAP

「聖母の戴冠(部分)」1441-44年頃
ウフィツィ美術館　フィレンツェ

フィリッポ・リッピ氏 第一子 フィリッピーノ君 誕生!!

親バカぶりを発揮するリッピ氏

なんちゅーかわいい子だ…

ホニャーン

一四五七年、フィリッポ・リッピ氏の内縁の妻ルクレツィアが第一子となる男子を出産していたことが判明。修道士と修道女の間に生まれた子供として注目を集めている。名は父親から引用して「小さなフィリッポ＝フィリッピーノ」と付けられた。すっかりデレデレのリッピ氏は、「この子もわしのようにすごい画家になる！」と大喜びの様子。

なお、教会は二人の結婚を異例にも認める見解を示しているが、リッピ氏はいまだに婚姻届を提出していない。

大特価
フレスコ画
1×1m
5000円から
フレスコ工房

フィリッポ・リッピ氏急死

出張先のスポレートにて　毒殺の疑いも

お父さん…!
遺影を掲げるフィリッピーノ君とその家族

一四六九年十月某日、画家フィリッポ・リッピ氏はスポレート大聖堂の壁画制作のために滞在していたスポレートで死亡した。享年六十三歳。あまりに突然の死に、同氏がしつこく言い寄っていた現地の女性の親戚によって毒殺された疑いがもたれている。現在、取り調べ中である。

同行していた息子フィリッピーノ君（12）らその家族は、同氏の友人であり弟子でもあるフラ・ディアマンテ氏に伴われてフィレンツェに帰郷する模様。リッピ氏には四歳になったばかりの娘アレッサンドラちゃんもいる。

死亡直前まで携わっていたスポレート大聖堂の壁画は、工房の弟子たちによって引き継がれる見通し。

フィリッポ・リッピ氏の墓碑建立

スポレートにて急死し、その後遺体をフィレンツェに引き取ることができずにいたフィリッポ・リッピ氏の画業を称える記念墓碑が、息子フィリッピーノ氏の手により、ようやく完成した。

同碑の制作費用は、ロレンツォ豪華王から寄与された。

また、同碑の銘文は人文学者でプラトンアカデミーメンバーのアンニョロ・ポリツィアーノ氏によるもの。「ここに私、フィリッポは、絵画の名声によって埋葬される。私の素晴らしい技術はいかなる人々にも知られている。私は、芸術作品に魂を吹き込むことができた。見る人々に声まで聞こえるかのように。私の表現したものは自然に匹敵した。ロレンツォ・メディチの手によって私は大理石の下に埋葬された。以前は灰によって覆われていたのであったが」

ボッティチェリ

SANDRO BOTTICELLI PITT.
FIORENTINO.

フィレンツェ・ルネサンスの代名詞的画家

ボッティチェリ
Botticelli
（1444頃-1510）
自画像
フィレンツェ・
ルネサンスの
顔的存在
憂鬱質
美少年好き
ドメニコ会修道士
サヴォナローラ
に傾倒
ダンテの神曲
のさし絵を描いた
晩年は不遇だった
浪費癖有り
いたずら好き
師匠は
フィリッポ・リッピ
大工房を
経営
{肩書き}
・画家

ボッティチェリの傑作名画

西風ゼフィロスが春風(生命)を吹き込んでいる
一緒に風を起こすクロリス
誕生したばかりのヴィーナス(美と愛の女神)
ヴィーナスにマントをかけようとするホラ
女性の裸体美復活!

「ヴィーナスの誕生」 1485-90年頃 ウフィツィ美術館 フィレンツェ

この時期の新プラトン主義とは?

古代ギリシャ・ローマ文化を再発見し、キリスト教の教義との両立を目指した哲学。ロレンツォ豪華王が主宰していた知的文化サークルのメンバー、人文主義者のマルシリオ・フィチーノやピコ・デッラ・ミランドラらが中心となって提唱した。

それまでのキリスト教の教義では、裸は隠すべき、忌むべき、恥ずべきものだったのだけど、新プラトン主義の台頭のおかげで、裸体は「神のつくりたもうた自然な姿＝最も純で美しいもの」という解釈ができるようになり、絵の主題に描くことができるようになったんだ

ボッティチェリは、その作品のみならずその生涯からもルネサンスを体現している画家といえます。彼は、フィレンツェがロレンツォ豪華王のもと、最後の、そして最も輝きを放っていた瞬間に、時代の寵児として活躍しました。この時期に描かれた作品、「ヴィーナスの誕生」や「春」は、今日でも「美の代名詞、美術史の顔」として愛され続けています。

しかし、時代は急速に変わり、ロレンツォ豪華王の死後、フィレンツェは修道士サヴォナローラの指導のもと、過激な清貧思想にのっとり、それまでの享楽的な生き方を改め、虚飾を捨て、神に贖罪しようとしました。そこには、近づく戦争の足音や、繁栄の象徴的存在だったロレンツォ豪華王の死が引き起こした人々の不安が根底にありました。

美を作り出す巨匠として一世を風靡したボッティチェリもこの流れに自らの身を投じ、サヴォナローラの教えに心酔したあげく、自分の描いてきた作品を「虚飾の焼却」の火に投げ込んでしまったと伝えられています。

聖書の物語でなく、神話がテーマに選べるようになったこと自体、画期的だったんだ

杖で雲を追い払う
メルクリウス
三美神(愛・貞節・美)
キューピット
全てをコントロール
するヴィーナス
春(生命)を妊娠した
フローラ
ゼフィロスの春風に反応
して花が口からこぼれる
クロリス
西風ゼフィロス

「春」 1478-82年頃 ウフィツィ美術館 フィレンツェ

サヴォナローラ影響後の作品

唯一、ボッティチェリの署名と制作年が入っている。
謎めいた雰囲気の晩年の作品

「神秘の降誕」 1501年頃 ナショナルギャラリー ロンドン

ジローラモ・サヴォナローラ（一四五二〜九八）

サヴォナローラはフェラーラ出身のドメニコ会の修道士であった。彼は、フィレンツェに襲い掛かる不幸（フランス軍シャルル八世の侵攻、ロレンツォ豪華王の死去）を予言し、民衆の圧倒的な支持を得た。

一四九一年、サン・マルコ修道院の院長となったサヴォナローラは、異常なまでの清貧思想を叫び、教会の堕落を糾弾した。そして二度に渡って「虚飾の焼却」を断行した。これによって、貴重な芸術品や書物が多く失われた。

初めは大聖堂に人々が押し寄せるほど熱狂的な支持をうけたが、道徳性を非難された教皇アレクサンドル六世から破門宣告を受けた後、急速にその支持を失い、最後は聖性を試す「火の試練」を受けて立たなかったことに激怒した民衆によって火刑に処せられた。信者に多くの著名人がおり、ボッティチェリの他にも、特にミケランジェロが有名。

「サヴォナローラの肖像」
フラ・バルトロメオ 1498年頃

●●●ボッティチェリの美少年図鑑●●●
僕は美女も好きだけど
美少年も好きさ
「マニィフィカトの聖母」　1483年頃
ウフィツィ美術館　フィレンツェ
「柘榴の聖母」　1487年
ウフィツィ美術館　フィレンツェ
俺はこいつが
イチ押しだな
アンニュイな
気分…
私もきれいだけど、疲
れた青年の裸体もいい
ものよね
見えないよ〜
え〜い、
もってっちゃえー！
でへへ
着てみた

「ヴィーナスとマルス」　1483年頃　ナショナルギャラリー　ロンドン

ボッティチェリ
STORY

1 ボッティチェリは、いつも読書をしていて、病弱な少年時代を過ごしました。

13歳
良くないね…
具合いはどう？

2 勉学に全く興味を示さなかった少年ボッティチェリは、フィリッポ・リッピ工房に弟子入りしました。

一緒に頑張ろう！
ハイ、よろしくお願いします…

3 そこで、頭角を現したボッティチェリは、すでに著名な画家であったボッライウォーロと肩を並べて描いた「剛毅」の擬人像で一躍名声を博しました。

おお、新人なのに素晴らしい！

「剛毅」 一四七〇年　ウフィツィ美術館　フィレンツェ

4 親方フィリッポ・リッピが急死したため、若くして工房を持ったボッティチェリは、メディチ家のバックアップのもと、数々の名画を制作していきました。

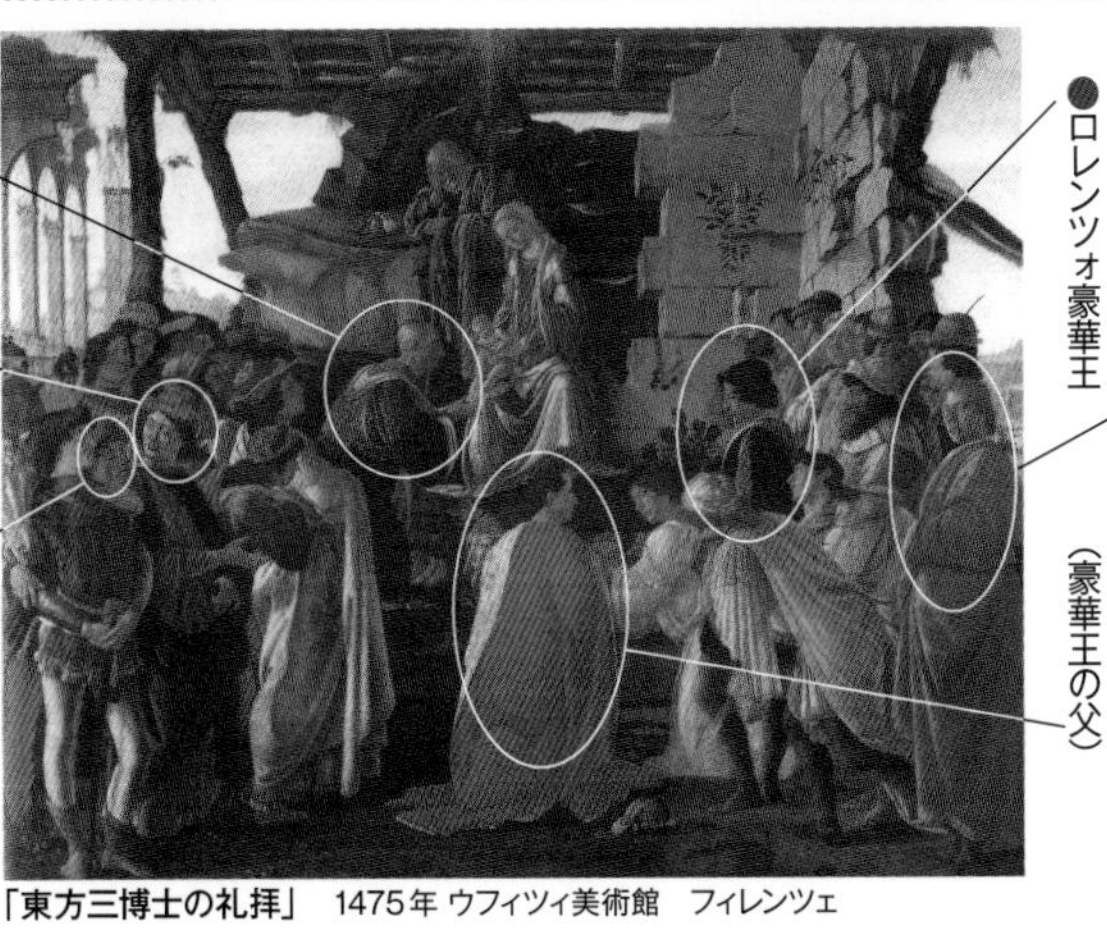
ボッティチェリ自画像
●ロレンツォ豪華王
●痛風病みのピエロ（豪華王の父）
●老コジモ（豪華王の祖父）
ピコ・デッラ・ミランドラ（人文学者）
アンニョロ・ポリツィアーノ（古典・人文学者）
●印はメディチ家

「東方三博士の礼拝」 1475年 ウフィツィ美術館　フィレンツェ

一四七〇年代から八〇年代にかけて、神話をテーマにしたボッティチェリの代表作が次々と生まれました。それらは、ロレンツォ豪華王が主催していたプラトンアカデミーで論じられた「新プラトン主義」という哲学理念を表しています。

いや〜ん
お手やわらかに…
ケンタウロス（本能）を征服するパラス（理性）

「パラスとケンタウロス」 一四八二年頃
ウフィツィ美術館　フィレンツェ

「ヴィーナスの誕生」 1485-90年頃
ウフィツィ美術館　フィレンツェ

「春」 1478-82年頃
ウフィツィ美術館　フィレンツェ

5 ところがロレンツォ豪華王の死（一四九二年）後、過激な清貧思想を唱えるドメニコ会修道士サヴォナローラが急速に民衆の支持を集めました。

贅沢をやめよ！
神の審判の日は近い！
サヴォナローラ
そーだー
ワー
ワー
ワー
そーだ！
わしはずっと間違っておった…
ワナワナ

6 ボッティチェリもサヴォナローラの説教に影響され、贅沢品（絵画や書物など）を燃やす「虚飾の焼却」の火に自らの作品を投げ入れたと言われています。

ワー
ワー
燃やせ

7 サヴォナローラの影響以後、以前とは全く雰囲気の違う謎めいた作品を描くようになり、次第に世の中から忘れられていきました。

「アペレスの誹謗（部分）」
1490-95年頃　ウフィツィ美術館

8 最晩年は、貧困に苦しみ、二本の杖なしには歩くこともできなくなり、不遇のうちに六十六歳の生涯を閉じました。

隣人トラブル ボッティチェリ vs 隣の親父

1 ある日、ボッティチェリの家の隣に、織物屋が八台の織機と共に引っ越してきました。

なにやら引っ越してきたな…
オーライ
オーライ

2 はた織りの仕事が始まると、家が隣接していて、しかもかなりのボロ屋だったため、ボッティチェリの家はまるで大地震が起きたかのように揺れ始めました。

3 「やめてくれ」と隣人に頼みに行っても、

俺が俺の家でなにをしようが俺の勝手だ

と、全くとりあってくれません。

4 頭にきたボッティチェリは巨大な岩を、自分の家の屋根の上に絶妙なバランスで載せました。

5 これを見て、家がつぶされると慌てた隣人は、

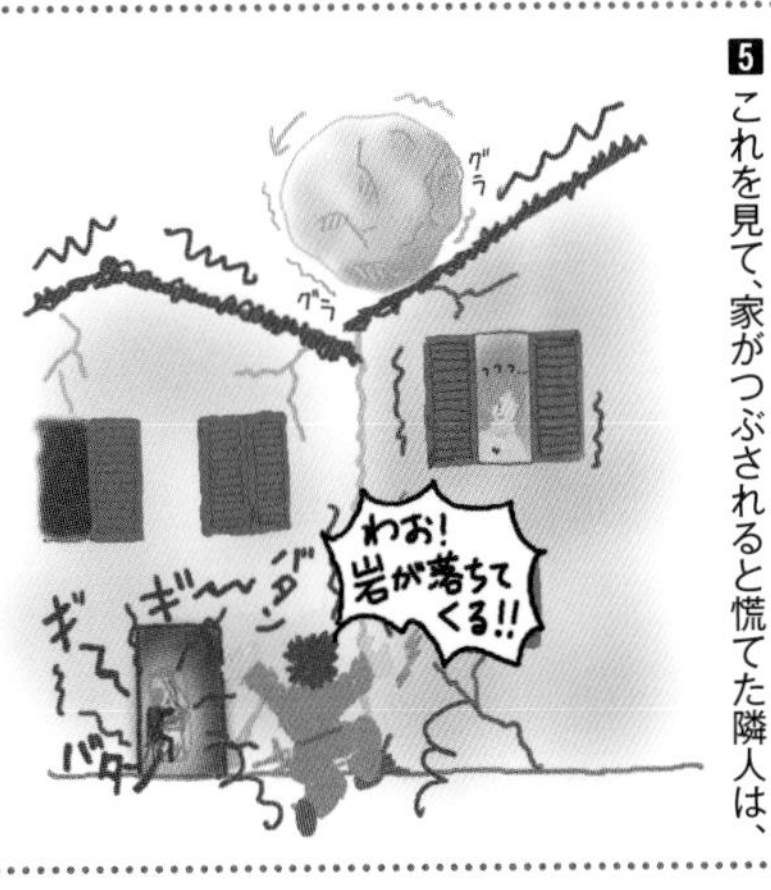
グラ
グラ
わお! 岩が落ちてくる!!
ギ〜
バタン

6 「やめてくれ」と言ってきましたが、ボッティチェリは隣人と同じセリフで、やり返しました。

僕が僕の家でなにをしようが僕の勝手だ

それを聞いて隣人も折れて、その後は仲良くつきあったとか。

ミニコラム

初期ルネサンスの受胎告知比較

「受胎告知」はとても人気の高い主題で、同じ画家がくり返し注文を受け、何枚も描いています。多くの場合、左側の白百合を持った大天使ガブリエルが、右側のマリアに神の子を妊娠したことを告げる場面が描かれます。重大なお知らせをする天使の態度、それを受けるマリアの表情には様々なバリエーションが見られます。

ドナテッロ

珍しい浮き彫り彫刻の受胎告知

1435年　サンタ・クローチェ教会 フィレンツェ

フィリッポ・リッピ

ばっちり予約席に収まって歴史的瞬間に立ち会う絵の注文主。肖像画としては非常に古い部類に入る。

1450年代
バルベリーニ美術館　ローマ

フラ・アンジェリコ

聖マルコもちゃっかりお立ち会い

1420-50年頃
サン・マルコ美術館 フィレンツェ

ボッティチェリ

えっ?!
そ、そんな…
どうぞよろしく
お願いします…

低姿勢で告知する大天使ガブリエル

びっくりしたようなしぐさのマリア

1489年　ウフィツィ美術館　フィレンツェ

ボッティチェリ

豊かな衣をなびかせて到着～

天使の到来にまだ気づいてない?

15世紀後半　ウフィツィ美術館 フィレンツェ

大輪の花が咲いた！

盛期ルネサンス

レオナルド・ダ・ヴィンチ
ミケランジェロ
ラファエロ

レオナルド・ダ・ヴィンチ

LIONARDO DA VINCI PITT.
E SCVLTOR FIOR.

森羅万象を解き明かそうとした万能の天才

レオナルド・ダ・ヴィンチ
Leonardo da Vinci

（1452-1519）

ラファエロ作

美男子

美声

逮捕歴あり

低い達成能力

夢は空を
飛ぶこと

万能の天才

超・秘密主義

誰にでも親切

社交家

政治に関心なし

文学に興味なし

馬・鳥が大好き

｛肩書き｝

・天才画家
・彫刻家
・土木技術者
・兵器開発技術者
・科学者
・軍事アドバイザー
・解剖学者
・音楽家

レオナルドの傑作名画

「白テンを抱く貴婦人」
1488-90年頃　チャルトリスキ美術館　クラクフ

「モナ・リザ」　1503-06年頃　ルーヴル美術館　パリ

世界で一番有名な絵。ジョコンダ夫人の肖像とする従来の説、レオナルドの自画像女性版、母親への愛慕、右半分が女性で左が男性などなど議論は絶えない。

みんなこの謎の微笑みが気になってしょうがないようじゃの。わしもたいへん気に入っておったので、ずっと手放さずに持ち歩いておったよ

レオナルド・ダ・ヴィンチは、一四五二年、トスカーナの田舎にあるヴィンチ村に公証人セル・ピエロの私生児として生まれました。幼い頃、その豊かな自然環境の中で、自然から様々なことを学ぶ鋭い観察眼を身につけました。私生児という立場上、通常、長男に施されるような読み書きや算術、ラテン語などの教育は受けられませんでしたが、その類まれなる天与の才が認められ、当時最も繁盛していたヴェロッキオ工房に弟子入りしました。

その頃の芸術家の工房という所は、絵画・彫刻だけでなく、日常の家具製作から要塞建築に至るまで、様々な技術を提供するために、様々な能力を持った職人が集まる文化基地でした。そのような所で、レオナルドは絵画の技術から土木、科学に至るまで多種多様な知識を身につけました。

レオナルドは森羅万象を解き明かそうと試み、それを絵画の世界で表現しようとする、科学者の視点をもった全く新しいタイプの芸術家でした。

「受胎告知」 1472-75年頃 ウフィツィ美術館 フィレンツェ

この素晴らしい「受胎告知」が、レオナルドの真筆であるという証拠は何ひとつ見つかっていない。にもかかわらず、この作品がレオナルド作だと信じられているのは、ひとえにこの絵の質の高さからである。聖母マリアの美しい表情や天使の高貴なしぐさ、書見台の徹底的なディテール、どこをとってもレオナルドの手によるものとしなければ説明がつかないのである。

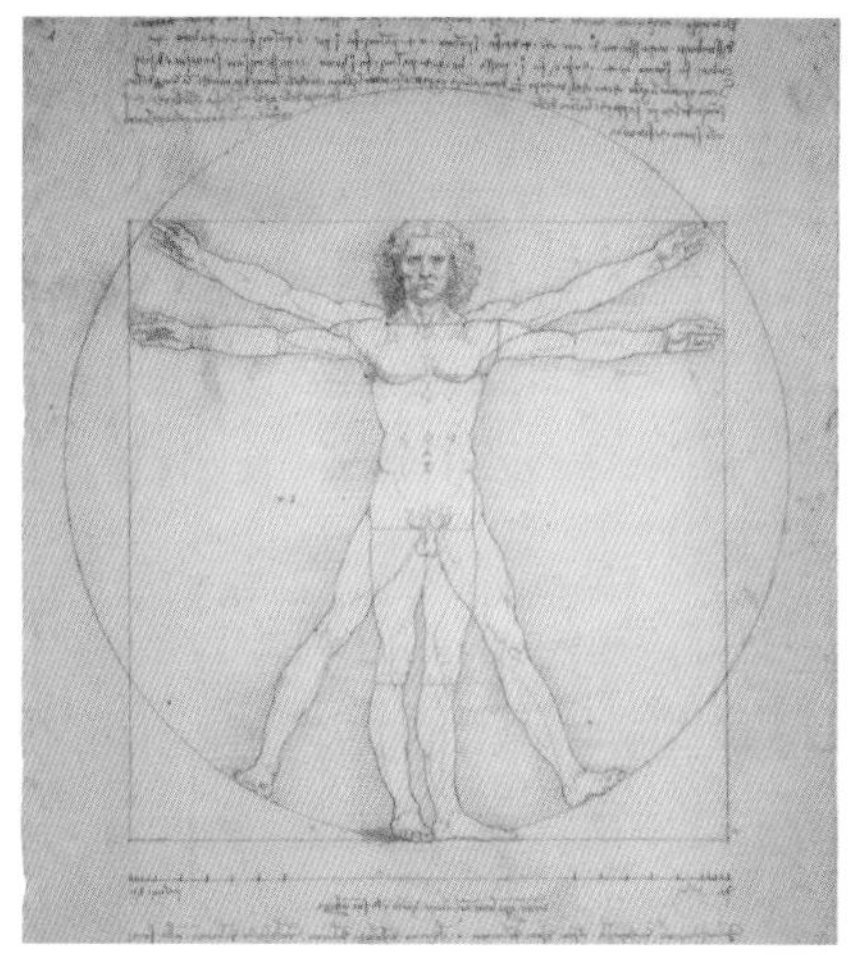

「人体比例に関する素描」
1490年頃 アカデミア美術館 ヴェネツィア

「岩窟の聖母」 1483-86年 ルーヴル美術館 パリ

「天使の頭部習作」
国立美術館 パルマ

わしは、自然の神秘の謎を解き明かしたかったのじゃ。そのために、わしは分野を問わずつねに何かを観察し、考察し、素描しておったよ

Episodes of
レオナルド・ダ・ヴィンチ

自然が師匠じゃ

1 レオナルドは、一四五二年、ヴィンチ村のセル・ピエロの私生児として生まれました。レオ少年は豊かな自然の中から様々なことを学びました。

2 気が変わりやすい性格でしたが、絵画に関してはいつも興味を失わなかったので、当時、たいへん評判の高かったヴェロッキオ工房に弟子入りしました。

ようこそ! レオくん
よろしく お願いします…
ヴェロッキオ

3 工房に入門した彼は、絵画だけでなく、彫刻・建築・土木などの分野にも興味を持ち、様々な技術を習得していきました。

4 ある時、親方のヴェロッキオは、制作中の「キリストの洗礼」の一部の天使をレオナルドに任せることにしました。すると、彼が描いた天使の仕上がりがあまりに素晴らしく、完全に自分を超えているのに気がついてしまいました。

ヴェロッキオ **「キリストの洗礼(部分)」**
1475-78年　ウフィツィ美術館　フィレンツェ

5 優れた芸術家であったヴェロッキオは、いさぎよくレオナルドの実力を認め、その後は彫刻に専念し、二度と絵筆を持つことはなかったということです。

私はこの才能に 太刀打ちできない
今日で画家は
廃業じゃ…
バキッ

レオナルドのおもしろ逸話❶

「馬が大好きレオナルド」

❶ レオナルドは、容姿も大変美しく、誰とでも親しく接するので、みんなから愛されていました。

いつもありがとう
ホラ
これ持ってけ
新鮮だぞ

❷ ほとんど仕事もせず、無一文とも言える状態でしたが、なぜかいつも数人の従者や数頭の馬を所有し続けていました。

んもぉ
ほんとにステキな人よね〜
うーむ
しかしどうやって
金もないのに
馬や使用人を…
よしよし

❸ たいへんな動物好きで、特に馬を愛し、様々な動きのデッサンを大量に残しました。彼の自然への興味は尽きることがありませんでした。

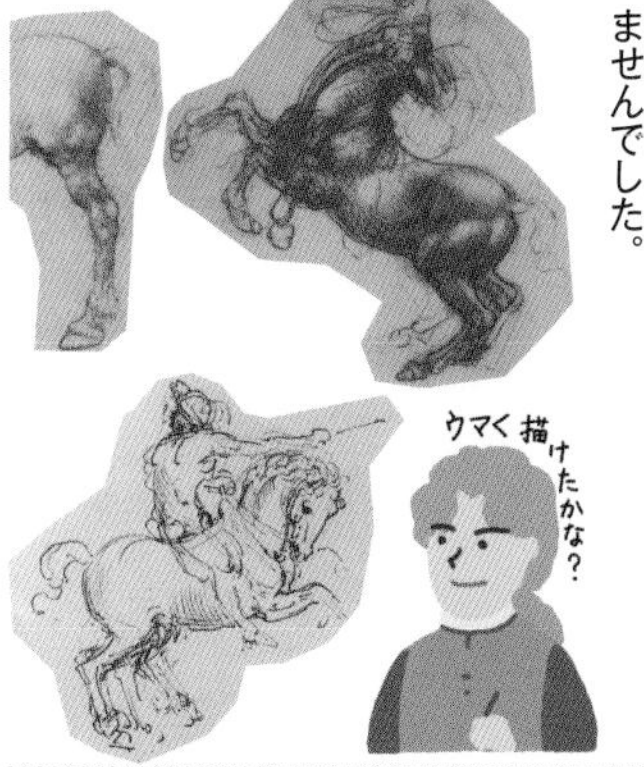
ウマく描けたかな？

レオナルドのおもしろ逸話❷

「鳥も大好きレオナルド」

❶ しばしば小鳥を売っている所を通りかかると…

あっ、また
つかまってる…
1羽百円
ピ〜
ピ

❷ かごに閉じ込められている鳥が不憫でならず、言い値通りに金を払って、

だんな
まいどです
よし！
ぜんぶ買った

❸ 自分の手でかごから鳥を出し、空に放してやり、自由を取り戻してやるのでした。

ありがとー
さあ行け！
僕もいつか
空を飛んで
やるぞ!!

「最後の晩餐」

ミラノ滞在期　1482～99年

1 レオナルドは、活躍の場を求め、故郷を旅立ちました。

さあ
行くぞ
30歳

2 完璧を求めるレオナルドは、なかなか仕事を仕上げませんでした。

あのお、もしもし？
働いてます？
期限はとっくに過ぎてるんですけれども？
……
43歳
あともう少しなんでしょ？
んもお…

3 しびれを切らした院長は、ミラノ公に直接苦情を言いに行きました。

もぉ、
頭にきたわ！

1494-98年　サンタ・マリア・デッレ・グラツィエ教会　ミラノ

一四八二年、レオナルドは新たな活躍の場を求めて、フィレンツェを去り、ミラノへ向かいました。画家としてよりも、軍事戦略、土木工学、軍事兵器の開発に関する技量をアピールする推薦状を携えて…。

ミラノの時の権力者ロドヴィーゴ・イル・モーロは、音楽を非常に愛する人物で、レオナルドの音楽の評判を聞きつけ、彼を城に招きました。レオナルドは、自作の奇妙な形の楽器を持参し、みんなの前で披露しました。

このようにしてミラノ公に気に入られたレオナルドは、サンタ・マリア・デッレ・グラツィエ教会の「最後の晩餐」の依頼を受けることになりました。レオナルドは、キリストが「主を裏切るものがいる」と、弟子たちに告げる衝撃の場面をどのように描くか、長い時間をかけて構想を練りました。そのため時には、半日も絵の前でぼんやり物思いにふけってしまうこともありました。その様子を見ていた修道院長は、「さぼっていないで、早く完成してくれ」と執拗に懇願しましたが、レオナルドは全く聞く耳をもちませんでした。しびれを切らした修道院長

4 レオナルドは、ミラノ公に芸術の真理を語りに行きました。
考えている時こそ、創造の時間なのです。ただ塗るだけならペンキ屋に頼めばよいでしょう
芸術とは…
ふ〜む、なるほど…
ユダのモデルが見つからなければ、あのうるさくてずうずうしい院長の顔を描きこんでやりましょう
ワハハハ

は、ついにミラノ公に直接苦情を言いに行きました。画家も庭師のように、一日中、筆を休めず働くべきだ、という院長の強い訴えに、ミラノ公は仕方なくレオナルドを呼び、「院長がしつこく言うので、作品を完成させてくれないか」と、頼みました。そこでレオナルドは、普段はめったにしない「芸術」についての話をし始めました。

「高い才能を持つ人は、実際に手を動かしていない時こそ、より多くの仕事をしているのです。その時間は頭の中で創造し、考えを完全な形にしようとしている大事な時なのです」

さらに、「まだ二つの顔が描けずに残っています。その一つはキリストの顔です。なぜなら、それは、天上の優美さでなければならないので、想像することなど到底できないのです。もう一つはユダの顔で、神を裏切ろうと決心した人物の顔がどのようなものか、想像することなど不可能に思えます。ただ、ユダの顔については、探してみて、もし、見つからない場合には、あのわからずやの院長の顔をはめるつもりです」

それを聞いてミラノ公は大笑いし、「それは名案だ！」と言いました。そのやりとりを聞いてたじたじとなった院長は、それからはもっぱら庭師の仕事を催促するのに専念し、レオナルドの仕事に口出しすることはなくなったということです。

予告通り、レオナルドはユダの顔を「神を裏切る非道な人物の肖像」に仕上げました。そして、キリストの顔は未完のまま残されました（激しい劣化のため、現在ではその差は見分けにくくなっています）。

キリスト　顔部分

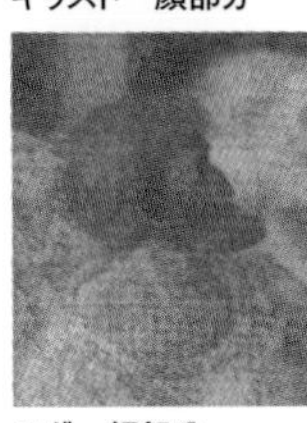
ユダ　顔部分

5
あんたは芸術家じゃないんだから、手を動かしなさいよね？
ホー…
オレにしわよせが…
庭師

レオナルドのおもしろ逸話 ❸

「びっくり楯」

1 レオナルドの父セル・ピエロは、彼の小作人から小円形の楯を渡され、誰かに何か絵を描いてもらえないかと頼まれました。

2 父からその仕事を頼まれたレオナルドは、まず楯のゆがみを直し、表面を徹底的にきれいにしました。

もう虫くいの穴とかないかな？
まったく支持体のコンディションが一番重要だというのに…
ピカピカ

3 そして、楯を見た人がびっくりして腰を抜かすような恐ろしい動物を描いてやろうとたくらみました。

ククク…
これらを組み合わせて世にもおそろしい生物を…

4 そのために、何日も家にこもり、部屋は動物や虫の死骸が放つ悪臭でひどい状態になりましたが、彼は芸術に抱く情熱のあまり、全く意に介しませんでした。

5 そして完成した楯を父に引き渡す時、その不気味な絵の効果が100％発揮されるように、差し込む光で目がくらむような仕掛けをしました。

お父さん、ナイスリアクションです…
そ、それです 求めていたのは。

6 セル・ピエロはあまりの素晴らしい出来に渡すのが惜しくなり、小作人には偽物を渡し、本物は商人に高値で売ってしまったということです。

レオナルドのおもしろ逸話 ❹

「腸のバルーン」

1 このように、人々を驚かせるのが大好きなレオナルドは、ある日、羊の腸を手に入れると…

いったい何に使うんだい？
とてもおもしろい事さ
肉屋

2 ていねいに洗って、手のひらに収まるほど薄い皮にしました。

よ～く洗って、と…
ジャブジャブ

わあ、思ったより膨らむなあ…
グェ～
なんだこれー!!
ムギュー
ギェー

3 そして、友人達を家に招き彼の部屋で待たせておいて、隣の部屋からふいごを使って腸に空気を吹き入れ始めました。腸はみるみる風船のように膨らみ始め、部屋いっぱいに大きくなり、中にいた人々を隅に押しやりました。

レオナルドのおもしろ逸話 ❺

「胸から百合ライオン」

1 ある日、ミラノ公からフランス王を歓迎する企画を依頼されました。

なにか、こう パーッと華やかで おもしろいことを…
かしこまりました

2 いろいろ試行錯誤の結果…

3 レオナルドが作ったのは、一頭のライオンの模型でした。それは歩くと胸の部分が開き、中から百合の花がいっぱい飛び出してくるという仕掛けになっていました。

王様、いらっしゃ～い
ウェルカム!!
こ、これはなんとっ!!
フランス王

レオナルドのおもしろ逸話❻

「対決！レオナルドvsミケランジェロ」

1 レオナルドとミケランジェロは、たいへん仲が悪く、会えば言い争いばかりしていました。

芸術は
筋肉だ
優美さじゃ

2 ミケランジェロが、「私の手はタコだらけだが、あなたの手のようにひ弱ではない！」と言ったので、弟子に鉄の棒を持ってこさせ、

そこまで言うなら仕方がない…
例のものを…
ハイ

3 素手で折り曲げて見せました。

フムッ！
鉄の棒

4

ひ弱な手で曲げてみました。あなたのタコだらけの手でまっすぐにしてみたらどうですか？
ほらよ
ヒリヒリ

おのれ
じじい…
ポイ

と、やり返したとか…。

外伝・レオナルドの悲しい逸話

「不運なゾロアストロ」

1 レオナルドは自由に空を飛びたいという夢をかなえるために研究を重ねていました。

よし だいたい できたな…
できたのかナ!?

2 弟子のゾロアストロは、飛べることを証明して師匠を喜ばそうと、無断で羽を持ち出してしまいました。

サライ
ゾロアストロ
オレが飛ぶよ！
あとは実験するだけなんだ
先生に聞かなくて大丈夫ですか？

3 高台から羽と共に飛び出したゾロアストロは、二度と戻ってきませんでした。

4 研究のために愛弟子を失ってしまったレオナルドの悲しみはたいへん深いものでした。

すまない…
ゾロアストロ〜

レオナルドの発明あれこれ

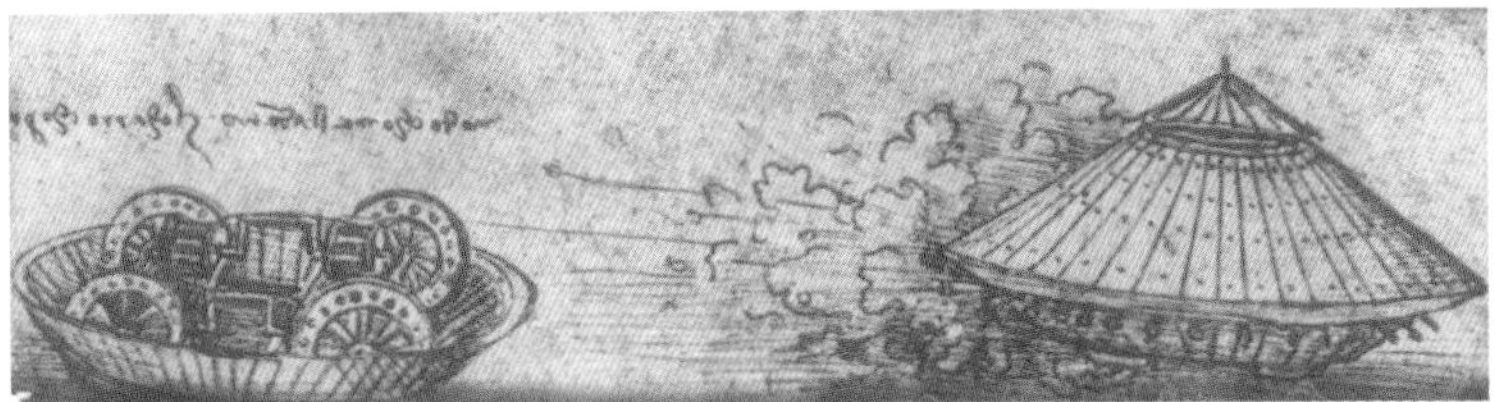

◆戦車

◆水面を歩く方法

◆元祖ハングライダー

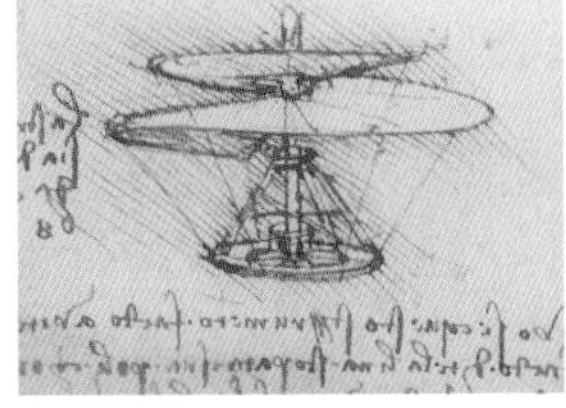

◆ヘリコプター

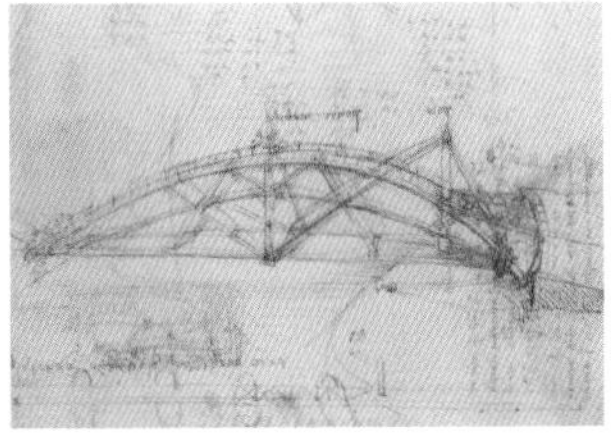

◆開閉式橋

◆両足切断殺戮マシーン

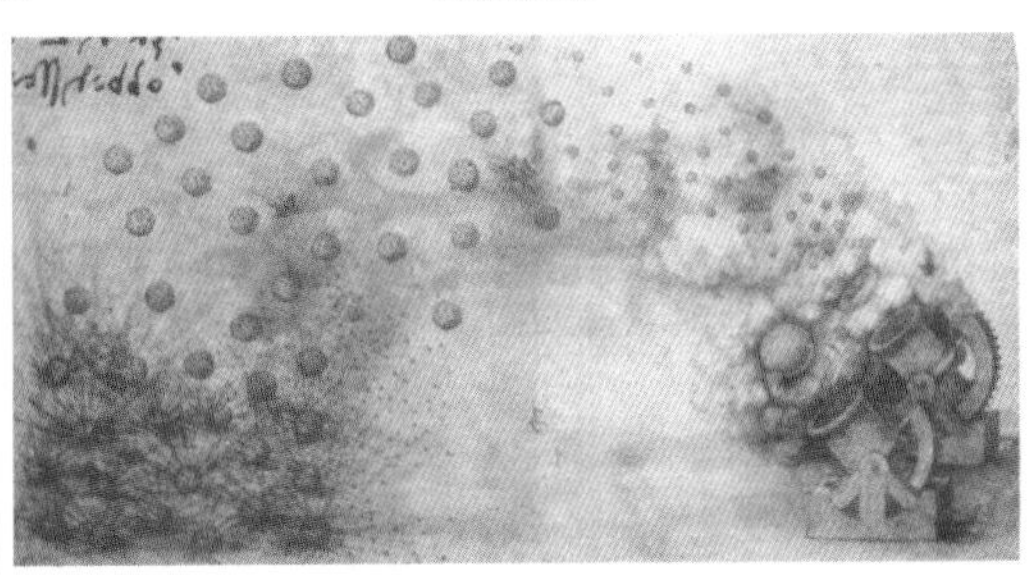

◆連射式大砲

わしはこれらの画期的なアイディアを、他人に簡単に読まれないようにするため鏡文字を使って書き溜めていたのじゃ

◆鏡文字

1 レオナルドは、画期的なアイディアを次々と編み出しました。それを彼が説明すると、全て実現可能のように思えるのですが…
こうしてあぁすれば…
フムフム
なるほど!

2 しかし、いざ自分たちでやってみようと思うと、どれひとつとして現実性のないものに思えてしまうのでした。
フンフン~
あれ、なんだっけ?
はて…

レオナルドの旅路

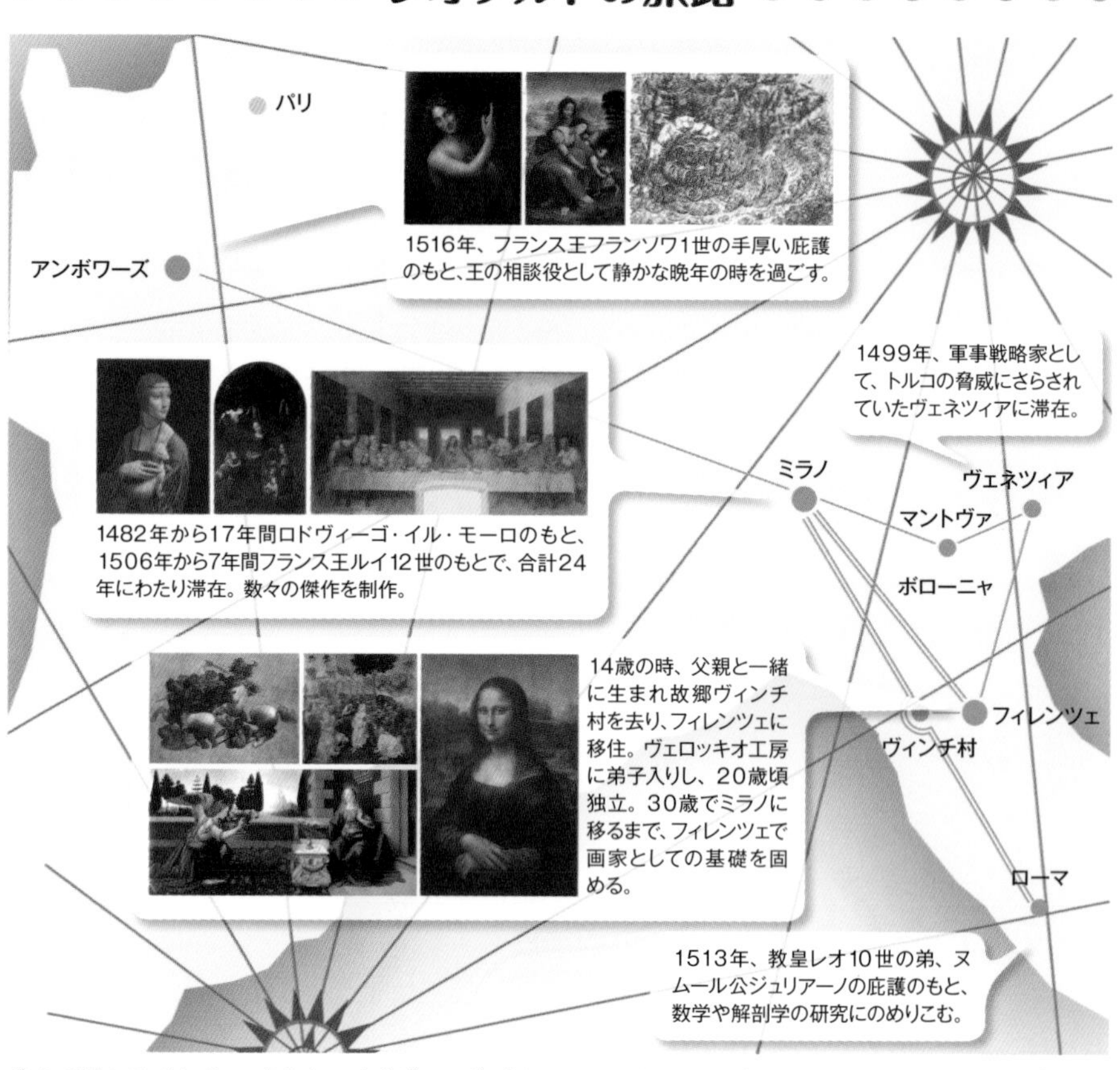
パリ
1516年、フランス王フランソワ1世の手厚い庇護のもと、王の相談役として静かな晩年の時を過ごす。
アンボワーズ
1499年、軍事戦略家として、トルコの脅威にさらされていたヴェネツィアに滞在。
ミラノ
ヴェネツィア
マントヴァ
ボローニャ
1482年から17年間ロドヴィーゴ・イル・モーロのもと、1506年から7年間フランス王ルイ12世のもとで、合計24年にわたり滞在。数々の傑作を制作。
14歳の時、父親と一緒に生まれ故郷ヴィンチ村を去り、フィレンツェに移住。ヴェロッキオ工房に弟子入りし、20歳頃独立。30歳でミラノに移るまで、フィレンツェで画家としての基礎を固める。
フィレンツェ
ヴィンチ村
ローマ
1513年、教皇レオ10世の弟、ヌムール公ジュリアーノの庇護のもと、数学や解剖学の研究にのめりこむ。

ヴィンチ村 > フィレンツェ > ミラノ > マントヴァ > ヴェネツィア > フィレンツェ > ミラノ > ローマ > ミラノ > アンボワーズ

レオナルドの生涯は、つねに新天地を求める旅の連続でした。当時のイタリア半島は、戦争に継ぐ戦争で、レオナルドはその時々の情勢に従って、自分の様々な能力を、様々なパトロンに売り込み、活躍の場を探し続けなければなりませんでした。

しかし、完璧を求めすぎるゆえ、また何かをやっている途中に、全く別の分野で違うアイディアが浮かんでしまうと、すぐそちらの方に情熱が移ってしまう移り気な性格のため、各地で未完成の仕事を数多く残してしまいました。そのことが原因で、依頼主と揉め事になることもしばしばでした。

そんな彼の旅には、いつも忠実な弟子の姿がありました。ゾロアストロ（おそらく飛行実験中に死亡）は最初のミラノ行きから同行し、少年の頃からレオナルドに預けられて育ったサライは、最後のフランスへ行く道中のミラノまでつねに師と共にいました。そして、最後の弟子メルツィがレオナルドの息を引き取る瞬間を見届けました。

万能の人レオナルドの最後の地は、故郷フィレンツェから遠く離れた、フランスのアンボワーズでした。

時代の流れに翻弄され、活躍の場を探し続けるレオナルド・ダ・ヴィンチ ～1499-1519年～

1 ミラノからヴェネツィアへ

←バクダン

2 ヴェネツィアで潜水服の開発

絵が溶け始めている!!
なぜだ!

3 フィレンツェ「アンギアーリの闘い」

絶対に帰ってこいよ
フンッ
保証金

4 再びミラノへ

わしの人生は旅そのものじゃ

一四九九年、ミラノ公ロドヴィーゴ・イル・モーロが失脚し、後ろ盾を失ったレオナルドは新たな活躍の地を求め、マントヴァを経てヴェネツィアに向かいました。トルコの脅威にさらされていたヴェネツィアは、すぐにレオナルドを軍事戦略家として雇いました。レオナルドは潜水服を開発し、泳ぎの達人に爆弾を持たせトルコ船の近くに仕掛けるという作戦を考えました。残念ながら成功はしなかったようですが…。

フィレンツェに戻ったレオナルドは、政庁舎の壁にフレスコ画を描く仕事を依頼されました。それは、ライバル、ミケランジェロとの競作という企画でした。レオナルドはオリジナルの画材を開発し、「アンギアーリの闘い」を描き始めましたが、画材の配合を失敗し、乾かすために絵の前で鍋で火を焚いたりしましたが、乾かずに溶け出してしまう始末で、描いている途中から大半が失われてしまいました。また、長年の敵ピサをたたく目的で、「アルノ川の流れを変える」土木工事のため人足を二万人も集めましたが、工事は宙ぶらりんになって実行されませんでした。それらの仕事を残したままミラノに行こうとしたレオナルドに、フィレンツェ政府は「必ず戻ってきて完成させること」を確約させ多額の保証金を払わせました。しかし、レオナルドがこれらの仕事を仕上げることはありませんでした。

このように苦難続きの時期でしたが、レオナルドの最も有名な絵画「モナ・リザ」は、この頃描き始められました。そして、生涯を通じて、どこに行くにも持ち歩きました。

当時ミラノは、フランス王ルイ十二世の統治下におかれていました。レオナルドの再訪は歓迎され、再びミラノで宮廷直属の画家兼技術者として働くことになりました。この時期、ロンバルディア地方の別荘に住み、土地の貴族メルツィと知り合い、経済的にも安定した日々を過ごすことができました。しかし、平穏な日々はまたしても戦争によってはばまれ、レオナルドは再び新天地を求め、旅に出ました。そして、選んだ土地はローマでした。

ローマでは教皇レオ十世の弟、ヌムール公ジュリアーノの庇護下で、主に数学や解剖学の研究に力を入れました。しかし、三年後ジュリアーノ公の死によって、レオナルドはまたしてもパトロンを求めなくてはならなくなるのでした。

新しいフランス王フランソワ一世が、レオナルドの名声を聞きつけ、「ぜひ、フランスに来て、相談役として仕えてほしい」と依頼してきました。ローマでの後ろ盾を失っていたレオナルドは、もう一度、長い旅に出る決心をしました。長年仕えた弟子のサライは、途中立ち寄ったミラノに残りました。レオナルドは、メルツィと二人でアルプスを越え、新たな、そして最後の新天地を目指しました。

フランソワ一世は、レオナルドを手厚く歓迎し、アンボワーズという静かな田舎の別荘を与え、暇さえあればレオナルドの話を聞きに訪れたということです。

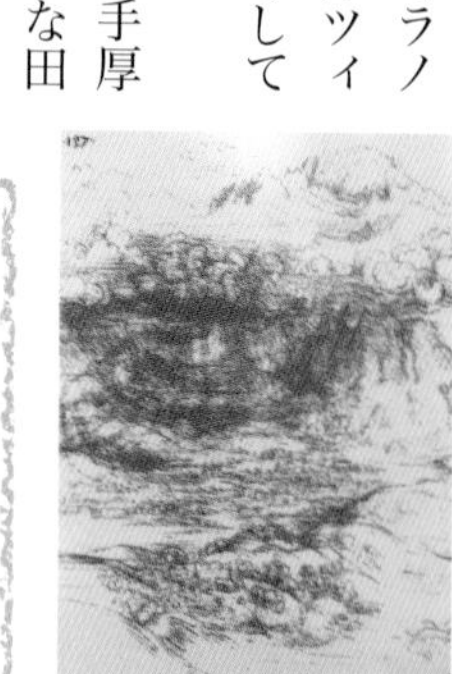

1 レオナルドは最後の日々を弟子メルツィと共に静かに過ごしました。病のため、手が震えるようになっていましたが、描くことはやめませんでした。この頃特に嵐や洪水によって引き起こされる大災害のスケッチを数多く残しています。

2 この「洗礼者ヨハネ」が、レオナルドの最晩年の作と言われています。

一五〇八－一三年頃　ルーヴル美術館　パリ

病に苦しむ日々の中、レオナルドは、多くの仕事を完成させられず、神の教えに背き、人々を傷つけてきた、と深い悲しみを告白し罪を悔いたといいます。遺言で、全ての絵画やノートはメルツィに、イル・モーロ公からもらったミラノのぶどう畑はサライに残しました。そしてお金は貧しき人々に寄付し、死後はフィオレンティーナ教会に埋葬するよう指示しました。

一五一九年五月二日、レオナルドはメルツィに見守られ、息を引き取りました。享年六十七。レオナルドの死は人々に深い悲しみを与えました。彼は、絵画にこれまでにない価値を与え、自然を敬う心の大切さを示した万能の天才でした。

「自画像（?）」　1515年頃
トリノ国立図書館　トリノ

レオナルド・ダ・ヴィンチの生家

ヴィンチ村

(フィレンツェ近郊)

Vinci

ヴィンチ村は、フィレンツェの西約二十五キロに位置するトスカーナの小さな村。

バスの本数も少なく、なにかとややこしくめんどくさい道中ではあるが、たどりつけば、世界一有名な大天才をはぐくんだ豊かな自然に出会える。

レオナルドの生家は、素朴そのもので、見学は無料。管理人のおじいさんが一人いるだけである。

フィレンツェ S.M.N ― エンポリ ＊鉄道　約30分
エンポリー ヴィンチ村(終点) ＊ COPIT 社のバス　約20分

ヴィンチ村には、レオナルドの発明品の模型を展示した博物館 Museo Leonardiano、図書館や研究所がある。

ヴィンチ村からレオナルドの生家までは、約3km。Strada Verde (「緑の道」) という名の通り、舗装されていないわだちの跡が残る道を、オリーブ畑を縫うようにひたすら進む。レオナルドが育った頃と何も変わらないであろう風景が広がっている。

目印はたったこれだけ。でも、簡単なので迷うことはない。ただ、日暮れの早い季節は早めに出かけた方が良いだろう。

14
14

〈レオナルドの生家〉

ミケランジェロ

MICHELAGNO BVONAR. PIT.
SCVLTORE ET ARCHITET.

神のごとき孤高の天才芸術家

ミケランジェロ・ブオナローティ
Michelangelo Buonarroti
（1475-1564）

ヴォルテッラ作

神のごとき芸術家

頭の中は、
芸術の事だけ

超・人嫌い

請け負った仕事は
一切妥協せず！

躍動する
筋肉こそ美

女に興味なし

頑固一徹

殴られた後遺症で
鼻が曲がっている

女性の体も
男性モデルを
元にした

実は詩も得意

レオナルド・
ダ・ヴィンチが
大嫌い

しばしば
クライアントと衝突

{肩書き}
・天才彫刻家
・天才フレスコ画家
・サン・ピエトロ大聖堂
建築主任

ミケランジェロ
— STORY —

オレは彫刻家で画家じゃねぇ

そこんとこしっかりよろしく…

1 一四七五年三月六日、トスカーナ地方のカプレーゼで、ミケランジェロは生まれました。

彼の生まれたブオナローティ家はフィレンツェに何代も続く由緒ある家系でした。

2 ミケランジェロは、石切り場のあるセッティニャーノという地方に、里子に出され、石を彫る音を聞いて成長しました。

3 父ロドヴィーゴは、文法の学校へいれて役人になるための教育をほどこそうとしましたが、ミケランジェロは父の意思に反し絵ばかり描いていました。

役人になる勉強をしろ!
父
絵描きなぞ
我が家にふされしくない!
うるせーやい

4 ついにロドヴィーゴはあきらめて、当時とても評判の高かったギルランダイオ工房にミケランジェロを入門させせました。

ある日、同じ工房で学んでいる少年が師匠のデッサンを写し取っていたところ、ミケランジェロがやってきて…

師匠の作品を直すほどの気骨あふれる少年でした。

ほんとはこうだぜ
よくなったろ?
あ〜〜
師匠のデッサンになんてことを…

後にヴァザーリがこの逸話のデッサンを手に入れ、年老いたミケランジェロに見せたところ、

今よりも少年だった頃の方がこのような技術をよくわかっていたな

と、語ったということです

そんな先生、ごけんそんを…

1 フィレンツェの実質的な統治者、ロレンツォ・ディ・メディチ（豪華王）は政治力のある人気の高い人物で、芸術家の擁護にとても熱心でした。

ロレンツォ・ディ・メディチ（豪華王）

2 豪華王は、古代彫刻のコレクションをたくさん集めた彼の庭園を学校にして、優れた彫刻家を育成しようとし、そこにミケランジェロも呼ばれました。

頑張りたまえ
ウス

3 ミケランジェロの類まれなる才能を見抜いた豪華王は、ミケランジェロを家族の一員に迎え、芸術活動を全面的に支援していくことを決めました。

ガン
ガン
ええ?! 本当ですか?
あなたの息子さんは天才だ!

4 そこには、後に教皇となり、ミケランジェロのパトロンとなるメディチ家の二人の子息たちもいました。

ジョバンニ・ディ・メディチ（レオ十世）

ジュリオ・ディ・メディチ（クレメンス七世）

5 また、サンタ・マリア・デル・カルミネ教会のブランカッチ礼拝堂にも通い、マザッチョの作品を模写して勉強しました。

「マザッチョの“カルトジオの祭礼”からの模写」
アルベルティーナ　ウィーン

6 そんなある日、ミケランジェロの高まる評判に嫉妬した友人トルリジャーノは、げんこでミケランジェロを殴ってしまいました。

お前、生意気すぎるゾ!!
パ〜ンチ
グエ

そのため鼻が折れ、その後ずっと鼻は曲がったままになってしまったということです。

1 豪華王の死後、メディチ家はフィレンツェから追放され、その庇護下にいたミケランジェロもまた逃亡を余儀なくされました。

2 ボローニャに入ろうとした時、通行証を持っていなかったミケランジェロは、多額の罰金を要求され、困っていました。

そこに、町の有力者アルトヴランディ氏が来て、事情を聞き、助けてくれました。

3 アルトヴランディ氏は、ミケランジェロのトスカーナなまりでダンテの詩の朗読を聞くのが大のお気に入りでした。が、ミケランジェロは、時間を無駄にしているのに気づき、フィレンツェへ戻っていきました。

いいねえ ダンテ…
ハッ!! オレこんなことしてる場合か?

バルジェッロ国立博物館　フィレンツェ
The Bridgeman Art Library / DNPartcom

古代風はお手の物
バッカス
1496-1501年

一四九六年、ミケランジェロは二十一歳の時、初めてローマにやってきました。そこで五年間の滞在期間中に、重要な仕事を二つ残しています。「バッカス」と名高い「ピエタ」です。

銀行家ヤコポ・ガッリは、自宅の庭に置くために「バッカス」を古代彫刻に似せて作るよう注文しました。ミケランジェロは、まるで土の中から出てきた本物の古代の作品のように、それを仕上げました。

最初の傑作
ピエタ
1501年

これ以上ないほどに繊細で洗練されたピエタを、ミケランジェロは弱冠二十六歳の時に完成させました。この作品はたちまち大評判となり、彼の名声は揺るぎないものになりました。

ここでは、キリストの死に対する嘆きの感情よりも、全てを超越した神々しい美しさが際立っています。

サン・ピエトロ大聖堂　バチカン　ローマ
The Bridgeman Art Library / DNPartcom

1 ピエタが公開されて間もない頃、ミケランジェロは、ロンバルディア地方からの来訪者達が、作品を褒め称えているところに出くわしました。

評判はどうだ?
スゴイな〜
きれいだよな〜

2 ところが、仲間の一人が、「これを作ったのは誰だい?」と尋ねると、

なにく〜?!
オレだよ、オレ!
我らが故郷、ミラノ出身のゴッボさ!
へ〜

と、答えるのを聞いてしまいました。

3 自分の作品が他人の仕事になってしまったのを見てびっくりしたミケランジェロは、その夜こっそりマリアの帯皮に、自分の名前を彫り込みました。

冗談じゃないぜ!
…ったく
カンカン

4 まだ若手で名が売れていないと、このように作品の名誉が横取りされてしまうこともありました。

しかし、ミケランジェロは、この後の作品には署名を刻む必要はありませんでした。

正義の象徴

ダヴィデ

1501-04年

フィレンツェは長い政治的混乱の末、ミケランジェロの友人でもあった、ピエロ・ソデリーニが終身執政官に就任しました。「ピエタ」で名声を不動のものにしたミケランジェロに、フィレンツェ政府は巨大な大理石の塊を与え、仕事を依頼しました。

この大理石は以前、他の彫刻家が同じようにダヴィデを彫ろうとして、足の部分に穴を開けてしまったため、不恰好なものになっていましたが、ミケランジェロはそのハンデをものともせず、フィレンツェ共和国の「自由と正義の精神」を象徴する全く新しいダヴィデ像を制作しました。

アカデミア美術館　フィレンツェ

1 ある日、執政官ソデリーニがほとんど完成したダヴィデを見に来て、

ナヌ?!

ちょっと鼻が大きすぎやしないかい?

と、いちゃもんをつけました。

2 執政官を満足させるために仕方なくミケランジェロは、

なにをど素人が…

おっよしこれで…

大理石の粉を手につけ…

さも彫っているようなふりを始めました。

3 パラパラと落ちる大理石の粉を見てソデリーニは、

どうですか?

パラパラ

素晴らしく良くなった気に入ったぞ♥

満足して帰って行きました。

4 そして、素晴らしい仕上がりのダヴィデをどこに置くかを検討する「ダヴィデ設置会議」が開かれました。

ダヴィデをどこに置くか会議
ボッティチェリ60歳
レオナルド・ダ・ヴィンチ52歳
フィリッピーノ・リッピ47歳
みなさん、ご意見を

5 レオナルドは、政庁舎の前のロッジャの中を主張しましたが、ミケランジェロは、ヴェッキオ宮殿（政庁舎）の前を主張し、押し通しました。

ダヴィデは太陽の下にいなければならないの！絶対に！
おのれ、若造…いちいち口ごたえしおって…わしを誰だと…
全然わかってねーな、じじい
ミケランジェロ29歳

幻の ミケランジェロ vs レオナルド カッシーネの闘い

一五〇四年、「ダヴィデ」の成功によってフィレンツェでも芸術家として確固たる地位を得たミケランジェロは、レオナルドとの競作で、政庁舎の壁にフレスコ画を描くことを依頼されました。ミケランジェロは「カッシーネの闘い」をテーマに選び、巨大な下絵を描いて、入念に構想を練りました。しかし、レオナルドの「アンギアーリの闘い」同様、この企画は完成されることはありませんでした。

じじい、さすがにやるナ よしオレも…

元祖マニエリスム トンド・ドーニ

ミケランジェロが描いた唯一の板絵（別名「聖家族」）。聖母のひねりのポーズは、次世代のマニエリスムの画家たちに大きな影響を与えました。

1502-03年　ウフィツィ美術館
フィレンツェ

この絵には、おもしろい逸話が残っています。芸術品の注文に熱心だったパトロンのアンニョロ・ドーニでしたが、同時に儲け第一の商人でもありました。

そのドーニは、できあがった絵の代金をつい値切ろうとしてしまいました。それに激怒したミケランジェロは取り決めの倍額でしか売らないと言い始め、結局ドーニは倍の金額を払わなければならなくなってしまったとか……。

宿命のクライアント　ユリウス二世

システィーナ礼拝堂

1508-12年

一五〇五年、ミケランジェロの名声はローマにも届き、教皇ユリウス二世から熱望されて、彼の巨大な墓を制作するためにローマに行くことになりました。

すぐに仕事にとりかかろうとしたミケランジェロでしたが、すぐにこの尊大で気まぐれな教皇の性格に、振り回されることになります。

1 ある日、立て替えた大理石の代金を受け取りに教皇の所に行くと、なぜか門番が通してくれません。

お前、オレが誰だかわかってるだろうな？
存じておりますが、通すなと言われておりますので…

2 門番に門前払いをくらったミケランジェロは憤慨して、フィレンツェに帰ってしまいました。

急げ!! 先生が行ってしまう!
せんせ〜ちょっとまって〜! 早すぎる〜
オレはもういないと言え

3 許可なく勝手に帰ったミケランジェロに激怒した教皇は怒りの手紙をフィレンツェに寄越しました。

教皇がむちゃくちゃ怒ってるぞ！頼む、謝りに行ってくれ！フィレンツェが危なくなるぞ
おおい教皇だぞ
やだね 人をならず者扱いしやがったんだ

4 仕方なくミケランジェロは、教皇に謝りに行きましたが、そばにいた司教が、

このような者は無知で芸術以外のことは何もわからないので許してやってください

と言ったところ、

なに？
ピキ
ユリウス二世
すみませんでした…

5 教皇は、その司教を叱り、ミケランジェロとは和解したということです。

芸術家を無知とは何事ぞ！そんなことを言うお前が無知じゃ！
ビシビシ
ヒエ〜
いてて
意外と話せるじゃないか

しかし、ユリウス二世の気まぐれは止まらず、「このような立派な墓ができても、外見の教会がみすぼらしくていかん」と思い始め、サン・ピエトロ大聖堂の新築工事で頭がいっぱいになってしまいました。

当時、ユリウス二世の下で建築責任者をしていたのは、ブラマンテでした。彼はミケランジェロの才能に嫉妬し、これ以上ミケランジェロの名声が高まらないように邪魔をする機会をうかがっていました。ブラマンテは、墓の制作が中断している間、システィーナ礼拝堂の天井画をミケランジェロに描かせてはどうか、と教皇に進言しました。彫刻家のミケランジェロは、きっと失敗して大恥をかくに違いないと考えたからです。ミケランジェロは、断り続けましたが、結局教皇の権力の前に引き受けざるをえませんでした。

あんた、アホですか？
私は彫刻家ですよ？…
フレスコなんてできませんよ！
んごるさいっ
わしがやれといったらやれ!!

ここが天地創造で…
おお！
こんな大きなスケールのものは見たことがないぞ！

6 しかし、引き受けた仕事には全力で取り組むミケランジェロと、高い芸術センスを持っていたユリウス二世は、たがいに影響しあって、大天井画を作り上げていきました。

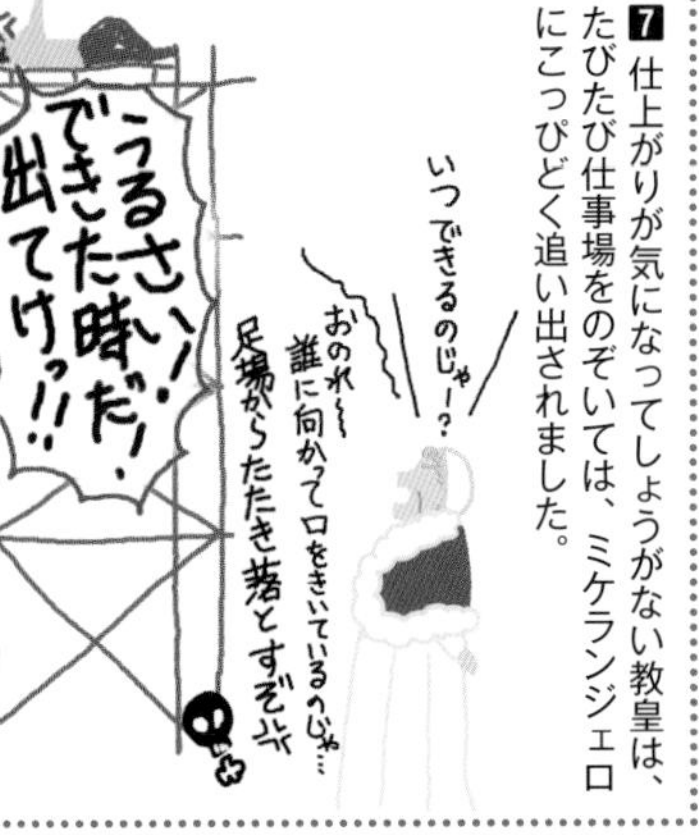
いつできるのじゃー？
うるさい！できた時だ！出てけっ!!
おのれ〜誰に向かって口をきいているのじゃ…
足場からたたき落とすぞ

7 仕上がりが気になってしょうがない教皇は、たびたび仕事場をのぞいては、ミケランジェロにこっぴどく追い出されました。

システィーナ礼拝堂天井画（部分）　バチカン　ローマ
The Bridgeman Art Library / DNPartcom

4年後、ミケランジェロはこの大事業をほとんど独力で成し遂げ、ユリウス二世は完成を見届けるかのように、翌年1513年に世を去りました。

ローマ略奪の記憶

最後の審判

1536-41年

クレメンス七世によって依頼されたシスティーナ礼拝堂の壁画「最後の審判」のフレスコ画制作は、教皇がパウルス三世に代わってからも継続されました。

ミケランジェロはこの大フレスコ画を強靭な肉体を備えた人々で埋め尽くし、壮大なスケールで、尊大な神の審判の瞬間を描き出しています。

地獄の部分には、暴徒化した神聖ローマ軍の兵士たちによって徹底的に破壊され、一日にしてローマの人口が三分の一になってしまったといわれる現実に起こった地獄、一五二七年の「ローマ略奪」の記憶が、再現されているといわれています。

すでに六十歳を超えていたミケランジェロでしたが、その超人的な体力は全く衰えを見せず、五年の制作期間で、この超大作を完成させました。そして、自分の肖像を聖バルトロマイの持つ生皮として描き込みました。

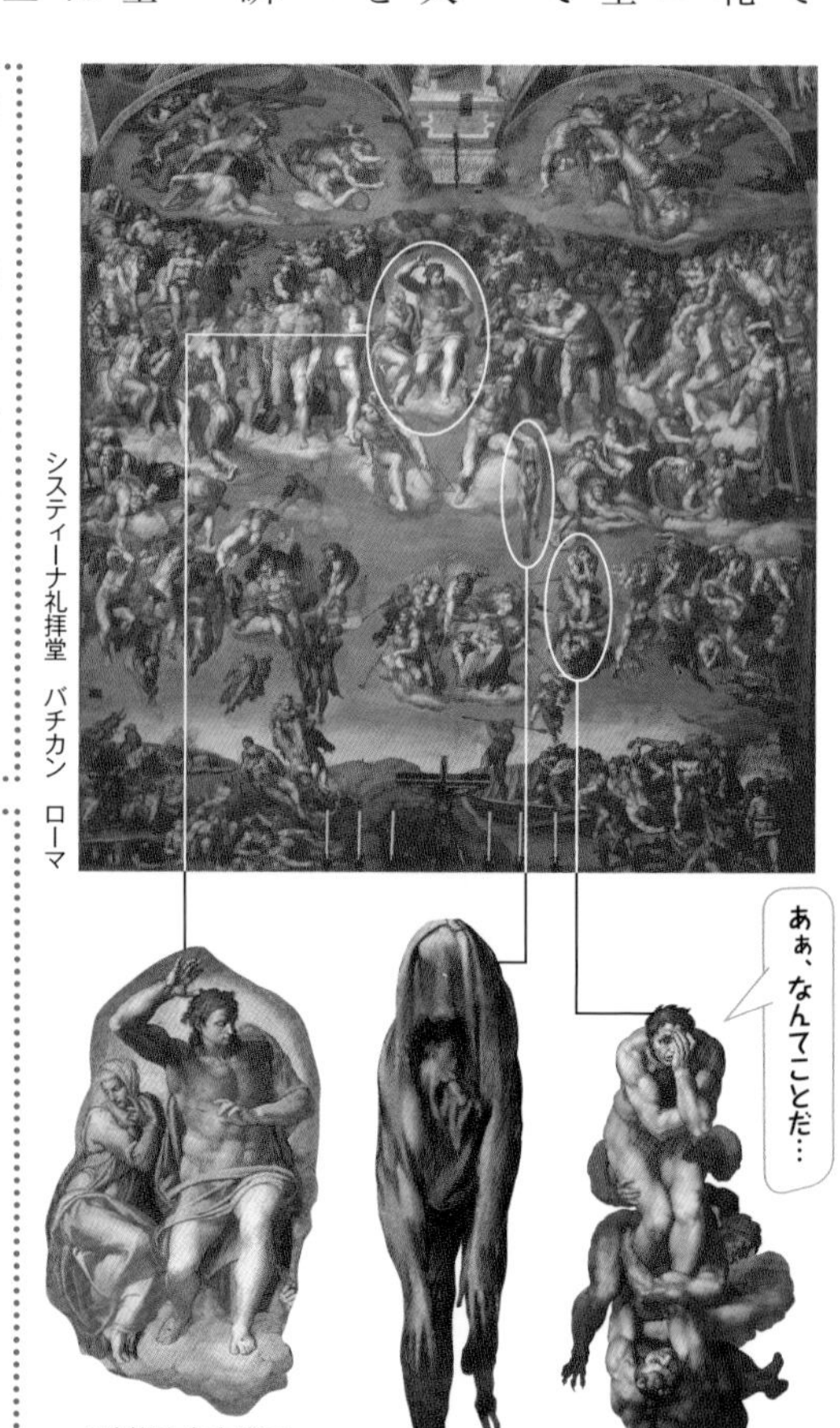
ああ、なんてことだ…

システィーナ礼拝堂　バチカン　ローマ

圧倒的な存在感で審判を下すキリスト

ミケランジェロの自画像

地獄へ堕ちる人物

1 ある日、パウルス三世と一緒に儀典長が制作中のフレスコ画を見に来て、

なんたる不敬…！
荘厳な場所にこんなにたくさんの裸体を描いて。しかもあんなに恥ずかしい所まで…

と、言いました。

これは風呂屋か宿屋向きの絵だ！

またひとり、おろか者が…

2 怒ったミケランジェロは、地獄の審判者ミノスの顔を、この儀典長の顔に似せて描いてしまいました。

うわー!!
お願い、消させて!!!

さあ、わしは地獄のことは関知せんのでなあ（教皇）

ユリウス二世の墓
モーゼと未完の奴隷像
1513-45年

ミケランジェロが若き頃、ローマに居を移し、教皇のために仕事をするようになる全てのきっかけとなったユリウス二世の墓碑はいまだ完成していませんでした。めまぐるしく変わる政治状況、次々に交代する教皇、コロコロ変わるユリウス二世の遺言執行人たちの要望、など様々な要素がこの仕事の完成をはばんでいました。

紆余曲折の結果、計画当初の一大モニュメント構想とはかけはなれた、モーゼ一体をメインに置く構成に変更され完成しました。ミケランジェロは一生を通して悩まされ続けた宿命の仕事を一五四五年、ユリウス二世の死の三十二年後に完成させました。

◀墓の一部となる予定だったが、結局含まず構成された

「死にゆく奴隷」 1513年 ルーヴル美術館 パリ
©RMN / René-Gabriel Ojéda / DNPartcom

や、やっとできた……
「モーゼ」
1513-42年 サン・ピエトロ・イン・ヴィンコリ教会 ローマ

メディチ家の墓
サン・ロレンツォ教会 新聖具室
1519-34年

「ヌムール公ジュリアーノの墓」
サン・ロレンツォ教会 新聖具室 フィレンツェ

最晩年まで全く衰えぬ制作意欲

「最後の審判」を描き上げたミケランジェロを、サン・ピエトロ大聖堂新築工事の建築主任という最後の大仕事が待っていました。これは昔のライバル、ブラマンテが残した案に基づくものでしたが、ミケランジェロは構造の安全性などを重視し、かなり変更を加え実現を目指しました。

「サン・ピエトロ大聖堂のクーポラ」一五四六 - 六四年
バチカン　ローマ
The Bridgeman Art Library / DNPartcom

体力の衰えてきたミケランジェロにヴァザーリは何度もフィレンツェに戻るよう勧めますが、ミケランジェロは、建設主任の責任感から最後までローマを離れませんでした。そして、クーポラの基礎部分が完成するのを見届けました。

死の六日前までミケランジェロは、自分の墓のために二点の「ピエタ」を彫り続けていました。自分のキャリアの出発点であった若き頃の「ピエタ」から半世紀以上の時が経っていました。同じ芸術家の手になるものとは思えないような様式のへだたりは、そのままミケランジェロの生きた時代の急激な変化を如実に表しています。両方とも自らの手で破壊した状態で残されましたが、それでも十分に伝わってくる悲哀は、ミケランジェロが歩んできた決して平坦ではなかった人生の、また芸術に対する苦悩の深さを物語っているようです。

ミケランジェロは一五六四年二月十六日、友人らに見守られて八十九年の生涯を閉じました。頻繁に手紙をやり取りし、ミケランジェロの弟子であり友人であることを、最大の誇りにしていたヴァザーリの演出で、フィレンツェで壮大な葬儀が行われました。

ミケランジェロの遺体は秘密裏に、梱の中に潜ませて、ローマからフィレンツェまで運ばれました。葬儀の際、大芸術家の顔をひと目見たいという人々の要望で、棺が開けられると、死後二十日以上たっているにもかかわらず、死体は全く腐乱しておらず、まるで眠っているようだったとヴァザーリは書き記しています。

「ピエタ」一五五〇年頃
ドゥオーモ付属美術館　フィレンツェ

ミケランジェロはこんな人

ミケランジェロは、たいそう頑固で気難しい性格だったと伝えられています。優雅で宮廷的な生活を好んだレオナルド・ダ・ヴィンチと仲が悪かったのも、反骨精神にあふれたミケランジェロの性格を見れば、納得がいくというものです。そんなミケランジェロのひととなりを示すエピソードをいくつかご紹介しましょう。

先生、皮がむけてます
イテテテ…
グイグイ

めったに、**靴をぬがない。**たまに脱ごうとすると、革が皮膚にくっついて、皮膚がはがれる始末。

眠れないから仕事しよう…

不眠症。

いつもわずかなパンと
少量のワインだけ。

決して貧乏ではなかったのに、極めて**粗食生活。**

いつものお礼に…
けっこうだ

恩に感じなければならないのがいやで**贈り物は一切受け取らない。**

めんどくせい!

次の日、「また着るのがめんどうだから」、**服のまま寝る。**

どうだい?一杯…
けっこうだ!

めったに友人とも食卓を囲まないなど、**つきあいが大嫌い。**

先生はどうして結婚しないのですか?
オレには「芸術」というやっかいな妻と
「作品」という子供がいるからさ

生涯独身。

年を取って丸くなったしの
わしは詩人でもあったのじゃ

尊敬いたしております…

ほとんど誰とも深いつきあいをしなかったミケランジェロでしたが、老年を迎える頃、**ヴィットリア・コロンナ**という貴族の夫人と**文通友達**になり、お互いを尊敬しあう言葉でつづったソネットを数多くやり取りしました。

ラファエロ

VITA DI RAFFAELLO DA VRB.
PIT. ARCHITETTO.

神に愛された夭逝の天才画家

ラファエロ・サンティ
Raffaello Santi

（1483-1520）

自画像

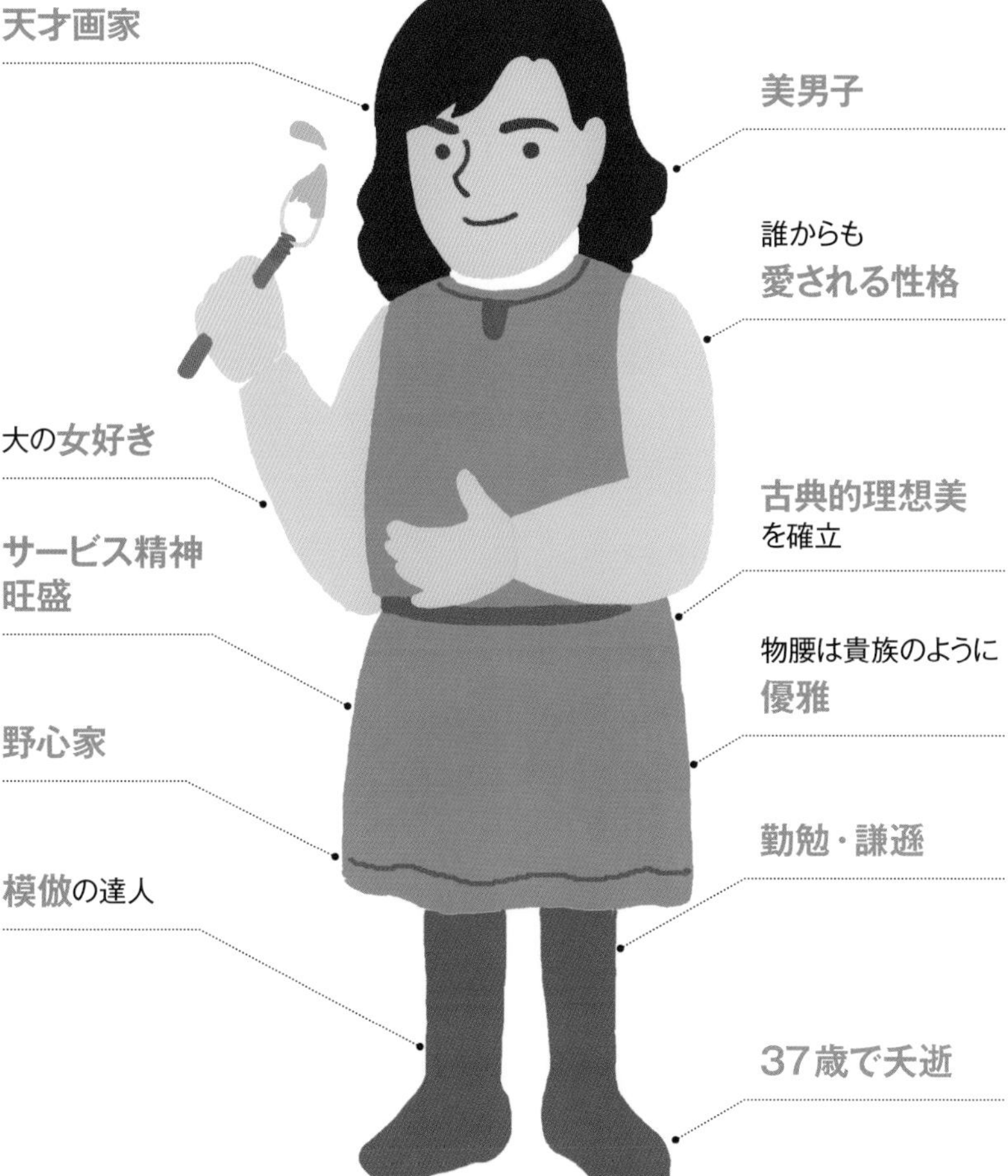

天才画家

美男子

誰からも
愛される性格

大の女好き

古典的理想美
を確立

サービス精神
旺盛

物腰は貴族のように
優雅

野心家

勤勉・謙遜

模倣の達人

37歳で夭逝

{肩書き}
- 天才画家
- 建築家
- サン・ピエトロ大聖堂　建築主任

ラファエロ・傑作絵画の歩み

ペルジーノから絵画の基礎を学ぶ

新体操のようなリボンの表現もペルジーノからの影響

雲に乗っている天使はペルジーノの得意技

遠景は師匠ペルジーノの出身地ウンブリア地方の風景

ペルジーノ

「フランチェスコ・デッレ・オペレの肖像」 1494年 ウフィツィ美術館 フィレンツェ

·I·N·R·I·

「キリストの磔刑」
1503-04年
ナショナルギャラリー ロンドン

ペルジーノ

「聖母子と天使」
1490年代後半 ナショナルギャラリー ロンドン

ペルジーノは、限りなく優しく甘い聖母の表現で、当時人気ナンバーワンの画家でした。ラファエロの女性像も彼の影響を多大に受けています。

ラファエロは画家の息子としてウルビーノに生まれました。しかし、父はラファエロが十一歳の時に亡くなってしまいました。そのためおそらくその時期に、当時大変な人気を博していた画家ペルジーノに弟子入りしたと考えられます。

ラファエロは天賦の才能とたゆまぬ努力によって師の技術をあっというまに習得し、さらに乗り越えていきました。そして、当時、レオナルド・ダ・ヴィンチとミケランジェロがしのぎを削りあっていた芸術の都フィレンツェにやってきました。

天才たちの技を目の当たりしたラファエロはまた一から勉強する気持ちでレオナルドからは構成の重要性を、ミケランジェロからは人体の構造をよく理解していなければならないことを学びました。

ラファエロは、生涯とどまることなく、先達の芸術の良い所を本能的に見抜き、吸収し、それまで身につけてきたものの上に見事に融合することのできる天才でした。良いところだけを集めたような彼の古典主義的理想美は、それゆえに後の世代の画家たちに長く手本とされました。

レオナルドからは構成力、心理描写を学ぶ

「モナ・リザ」 1503-06年頃 ルーヴル美術館　パリ

「ラ・ヴェラータ」 1515年頃
パラティーナ美術館　フィレンツェ

「ヒワの聖母」 1506年頃 ウフィツィ美術館　フィレンツェ

「聖アンナと聖母子」
1501-05年頃
ナショナルギャラリー　ロンドン

レオナルドの仕事から画面全体の調和の重要性と、表情を描くために内面の感情を観察する目を学んだよ

ミケランジェロからは力強い肉体を学ぶ

「大洪水」 1508-09年
システィーナ礼拝堂　バチカン　ローマ

やべ…
筋肉痛

実は僕はあまり骨格や筋肉の構造とかをよくわかっていなかったんだ。その重要性をミケランジェロに教えられて、慌てて猛勉強したよ

「ガラテイアの勝利」 1512年
ヴィッラ・ファルネジーナ　ローマ

ラファエロ
Story

神に愛された人

❶ラファエロは、ウルビーノという当時よく栄えていた町で、一四八三年四月六日に生まれました。

ほんとにかわいい子だなぁ…

父ジョバンニは、名の知れた画家であり文筆家でもありました。

❷ラファエロは十一歳の頃に、ペルジーノ工房に入門したと考えられています。それを証明する確かな証拠は残っていませんが、ラファエロは確実にこのペルジーノから絵の基礎を学び、画家として出発しました。

「自画像」　1500-02年頃
アシュモレアン美術館　オックスフォード

❸早熟だったラファエロは、なんと十七歳の時にすでに一人前の親方として仕事の依頼を受けています。

「三位一体を描いた行進旗」一四九九－一五〇〇年頃
国立美術館　チッタ・ディ・カステッロ

❹そして、フィレンツェに来てからは、レオナルド・ダ・ヴィンチから多くを吸収しました。

この人たちはスゴすぎる…!
カンカン

ラファエロが滞在していた一五〇四年から一五〇八年のフィレンツェでは、レオナルドやミケランジェロも同地で活動しており、巨匠たちが一同に会する芸術の一大中心地でした。

初期の作品

1504-08

ラファエロの初期の作品は、ペルジーノと見分けがつかないほど酷似しているものもあります。「聖母の結婚」は、同じ一五〇四年頃に制作され主題も構図もペルジーノのものとほとんど同じですが、人物の身振りの微妙な変化や、より広がりを感じさせる背景の扱いなどによって確実に師を越えたことを示しています。

フィレンツェにやってきたラファエロはその優雅な作風や本人の性格の良さがうけて、裕福なパトロンや友人に恵まれました。そして、次々に肖像画や愛らしい聖母子像を制作しました。

ラファエロ

「聖母の結婚」一五〇四年　ブレラ絵画館　ミラノ

ペルジーノ

「聖母の結婚」一五〇四年頃 カン美術館

これは2人の結婚記念の肖像画なんだ。アンニョロ・ドーニは、あのミケランジェロの「トンド・ドーニ」の発注者でもあるんだよ(P.113参照)

「アンニョロ・ドーニの肖像」
1505年　パラティーナ美術館　フィレンツェ

「マッダレーナ・ドーニの肖像」
1505年　パラティーナ美術館　フィレンツェ

ナンバーワン聖母子画家

ラファエロは「聖母子の画家」と呼ばれるほどこのテーマの作品の人気が高く、多くの注文が殺到しました。

レオナルドから影響を受けたラファエロは、ペルジーノ風の優美な女性像の表現に加え、レオナルドのピラミッド型の構図と、人物の内面描写を取り入れました。

「大公の聖母」 1506年頃
パラティーナ美術館　フィレンツェ

「美しき女庭師」 1507-08年
ルーヴル美術館　パリ

きれいな聖母を描くためには
美人をよく知らないとね。女性
と遊ぶのも僕にとっては仕事
なのさ！

「小椅子の聖母」 1513年
パラティーナ美術館　フィレンツェ

この作品は、少し時代が下って、ローマ滞在期に描かれました。むちむちの赤ちゃんと、何とも愛らしくかわいい聖母との優しい一体感は、ローマでミケランジェロ的な力強い表現を取り入れてからも失われないラファエロ独自の持ち味でした。

「ベルヴェデーレの聖母」 1506年　美術史美術館　ウィーン

フィレンツェ時代の最高傑作。注文主タッデオ・タッディは、フィレンツェに来たラファエロを自宅に招いて、客人として丁重にもてなしました。今日でも旧タッディ邸の外壁に、ラファエロが滞在していたことを記念した碑文が架かっています。レオナルドから影響を受けた三角形の中に人物を配置する構図が際立ってよくわかります。

ローマでの成功

1508-20

当時バチカンのおかかえ建築家であったブラマンテは、ラファエロと同郷で、しかも遠い親戚であったとも言われています。ミケランジェロの台頭をこころよく思っていなかったブラマンテは、この優秀な若者を使ってミケランジェロを出し抜こうと考え、ラファエロをローマに呼び、教皇に紹介しました。立ち居振る舞いの優雅なラファエロをユリウス二世はすぐに気に入りました。システィーナ礼拝堂の天井画をミケランジェロに代わって描かせることはしませんでしたが（これがブラマンテのねらいだったのですが）、代わりに署名の間やヘリオドロスの間のフレスコ画を依頼しました。

これがミケランジェロが描いておる天井画じゃ。よく、見ておきたまえ
くやしいが、すごい男じゃな。
←ブラマンテ
こんなすごい仕事は見たことがない……

空が見える聖堂は作りかけのサン・ピエトロ大聖堂
アリストテレス

「アテネの学堂」 1510年 署名の間 バチカン ローマ

ずいぶん画風が変わっただろ？
ミケランジェロのシスティーナの天井画を見て、衝撃を受けたよ。その後、力強い肉体を表現するために、筋肉の構造を研究し直したんだ

ヘラクレイトス（ミケランジェロ）

プラトン（レオナルド・ダ・ヴィンチ）

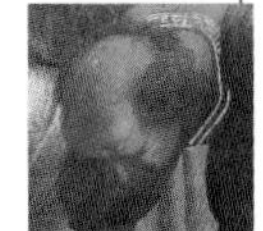
ユークリッド（ブラマンテ）

ラファエロ

肖像画

ラファエロは、人物の内面を表現するような肖像画にも長けていました。

このユリウス二世の肖像の構図はその後の画家たちに広く応用されました。

歴代の教皇の中でも、際立った行動派で戦争を好み、在位の間中、多くの非難を浴びたユリウス二世でしたが、芸術の擁護活動に非常に熱心で、ミケランジェロに「システィーナ礼拝堂天井画」、ブラマンテに「サン・ピエトロ大聖堂の新築工事」、そしてラファエロに「アテネの学堂」など、次々と大事業を依頼し、ローマを盛期ルネサンスの一大中心地に変貌させました。

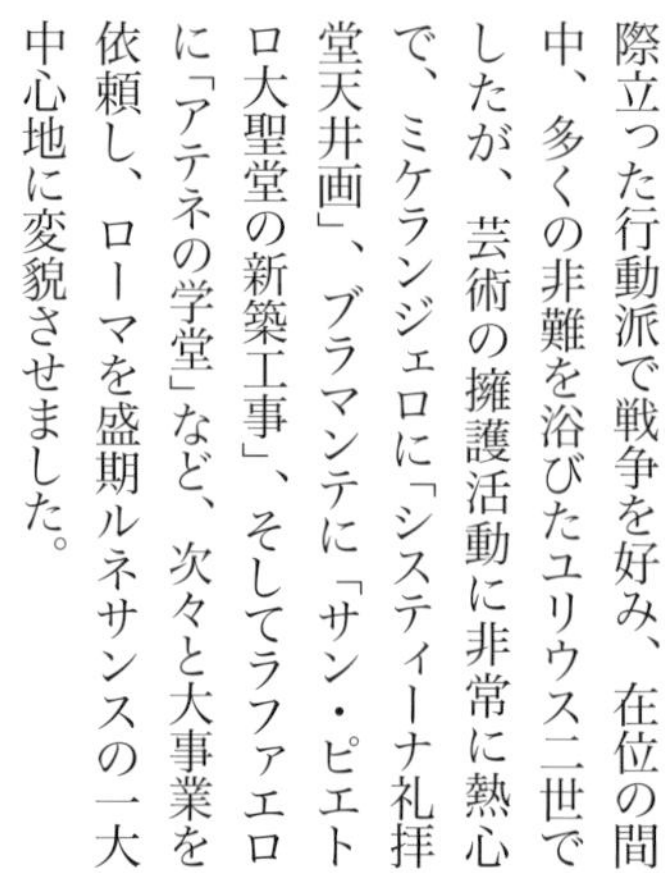

「ユリウス二世」 1511-12年
ナショナルギャラリー　ロンドン

ラファエロの恋人？

「ラ・フォルナリーナ」と呼ばれるこの肖像のモデルは、ラファエロの恋人だった女性と言われています。腕輪にはっきりとラファエロの名前が書かれています。密かに描き、最後まで自分で所有していたため、死後六十年以上たってから発見されました。

「ラ・フォルナリーナ」
1518-20年頃
バルベリーニ国立美術館　ローマ

「レオ十世」 1518年
ウフィツィ美術館　フィレンツェ
左後ろの枢機卿は、後のクレメンス七世

「ラ・ヴェラータ」のモデルは、おそらく上の「ラ・フォルナリーナ」と同一人物と考えられています。枢機卿から縁談を持ち込まれたラファエロは野心のため彼女との結婚をあきらめますが、婚礼の衣装をまとった肖像を描き、彼女への思いを表現したとも言われています。

「ラ・ヴェラータ」 1515年頃
パラティーナ美術館　フィレンツェ

「バルダッサーレ・カスティリオーネ」
1514-15年　ルーヴル美術館　パリ

突然すぎる死

1520

一五一三年にユリウス二世が亡くなると、次の年にブラマンテも世を去ってしまいます。次の教皇はレオ十世。彼も優雅なものを愛する、貴族的な趣味の人物で、ラファエロを非常に気に入り、次々と大きな仕事を命じました。

建築家としての仕事が増え、ブラマンテの後を引き継いで、サン・ピエトロ大聖堂大改修工事の責任者や、大銀行家キージ家の礼拝堂や別荘の装飾などの注文をこなすかたわら、ローマ古物監督責任者の任も務めていました。

「サン・シストの聖母」
一五一二－一三年　ドレスデン国立絵画館

1 そんな順風満帆のラファエロでしたが、ある日、度を過ぎた放蕩の夜を過ごしてしまいました。

やだ～ ラファエロさんったら～ エッチ～♡
まあまあ こっちへおいで♡
僕は美を研究してるんだよ

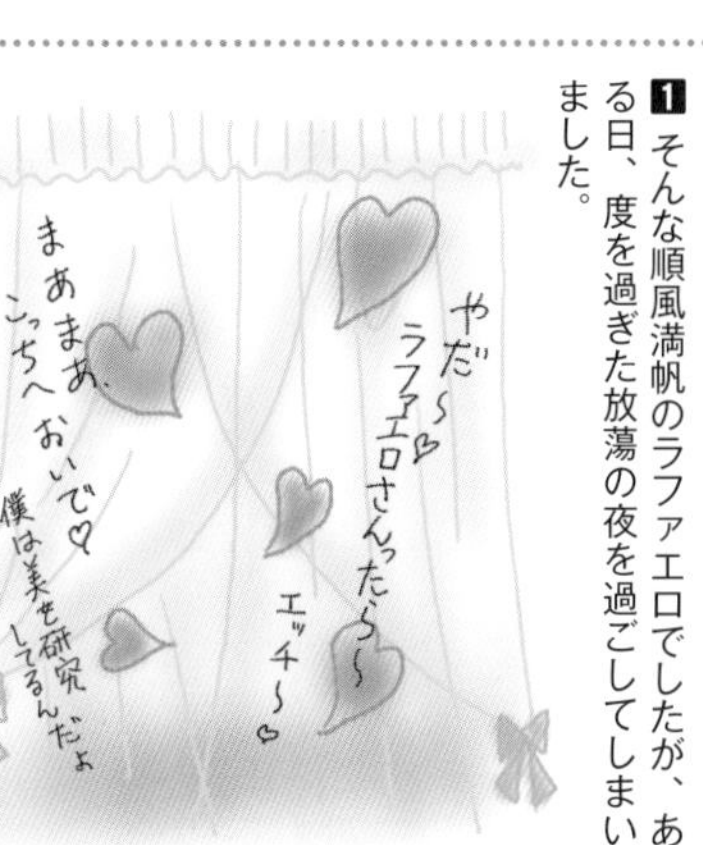

2 女遊びが過ぎて、体力を使い果たして帰ってきたラファエロは…

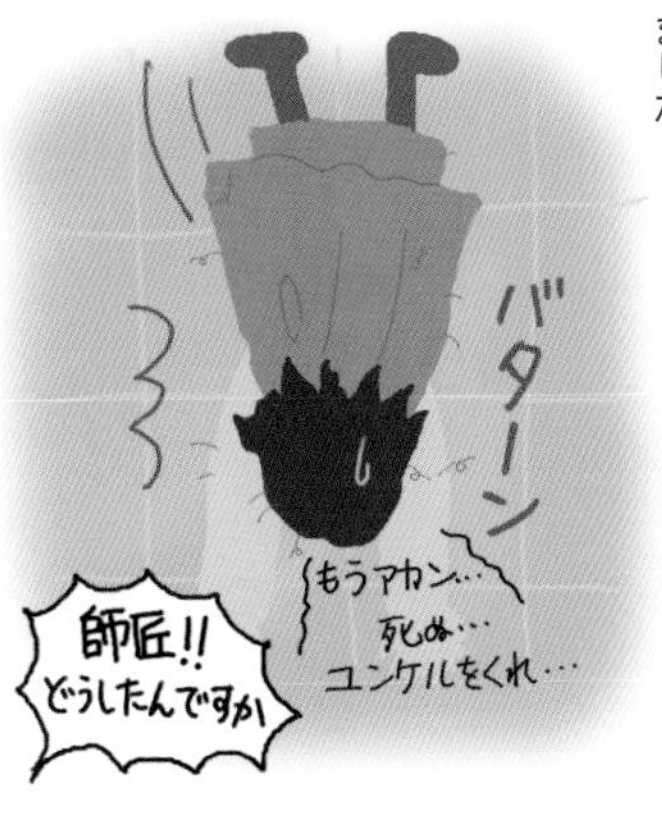

3 家に着くなり、高熱を出して倒れてしまいました。

4 原因を知らなかった医者は、本当は力のつく薬を与えなければならなかったのに、あろうことか※瀉血（しゃけつ）を行ってしまいました。

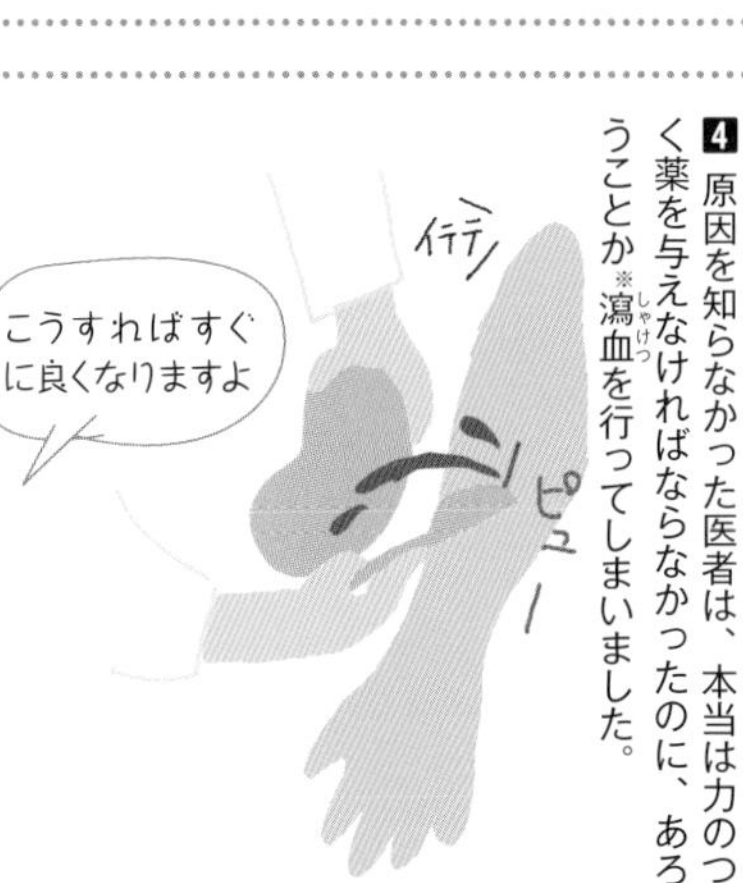
こうすればすぐに良くなりますよ
イテテ
ピュー

※瀉血とは中世に頻繁に行われた治療法で、悪い血を体外に出すと病気が治ると信じられていた。

「キリストの変容」 1516-20年 絵画館 バチカン ローマ

この最後の作品は僕の画家人生の集大成とも言うべきものなんだ。構図を上下の2つのシーンに分けて、より劇的に演出した点など、次世代のマニエリスムの先駆となっているよ

5 ますます体力を奪われ、衰弱してしまったラファエロは…
血を抜いたのはまずかったかな…?
先生、まだ死ぬのは早すぎます!

家にいる愛人の女性には多めにお金を渡して帰ってもらってくれ。全財産は弟子で分けてやりかけの仕事は…
悪いな…ちょっといろいろあるんだけど…
先生、きっとちゃんとやります…!
遺言
6 残される人々を気遣って事細かに遺言を残し、天国へ旅立っていきました。

ラファエロは、三十七歳の誕生日にその短い生涯を閉じました。彼の死を悼んで多くの画家が泣きながら墓所まで付き添い、また教皇も涙したということです。そして、パンテオンの中という名誉ある場所に埋葬され、今日も静かに眠っています。

ラファエロの死と共にルネサンスの幕も閉じられました。そして「偉大な巨匠たちのマニエラ(方法)を継承しつつ、意図的に誇張して表現するマニエリスム」というバロックへ移行するまでの過渡期の時代に入っていきました。

ラファエロは、こんな人

1 ラファエロは、とても謙虚な人だったので、自分より優れた作品を見ると、

ミケランジェロ
こ、これは…
なんと素晴らしい…
先生?
?
?

すぐに師匠から弟子の立場に戻り、自分の様式にしばられることなく、さらなる高みを目指して不断の努力を重ねました。

2 外出する時は、いつでも

3 知らない画家からでも、デッサンを見せて欲しいと頼まれると、自分の仕事をほっぽりだしてまで助ける人でした。

お忙しい所、すみません…
ちょっとデッサンを見せてもらいたいのですが…
オッケー、すぐ用意するよ

4 自分はえらいと思っている画家同士は、しょっちゅう意見がぶつかりあうものですが、

私の方がだんぜん上手ね!
まあまあ
おめーのは筋肉が全然なってねーんだよ!

ラファエロと一緒に仕事をすると、たちまちみんなの気分が一致して、愉快に楽しく働いたということです。

ここはこうして
ここはああすればうまくいくよ
あ、なるほど…
ごもっともです

5 ラファエロは、恋に落ちると仕事が全く手につかなくなるので、

依頼主↓
あっ!!また
さぼってる!!
ガラ〜ン

困り果てた依頼主はしょうがなく、

仕事をしろ〜〜
うるさいな〜
今とりこみ中
なのっ!
あっちいけ!

仕事場でもずっと一緒にいるように女性に頼みました。そのおかげでやっと仕事は完成したということです。

まったく…
お仕事してる
時が一番ス・テ・キ
じゃ
やるか
そうかい?

6 サービス精神旺盛なラファエロは、家のリフォームを頼まれた時、壁の古い穴を埋めずに、収納として使えるように計らいました。

まきの貯蔵などに
使って下さい。
それはいい!

ところが、それが原因で建物の強度が怪しくなってしまい、

〜なんか
グラグラして
〜きたぞ〜

再びラファエロに相談に行くと、今度は非常に腕の良い職人を呼んで、素晴らしい象眼細工で穴をふさがせたということです。

ふつうで
いいんだけどな…
彼にまかせておけば
世界一かっこよく
穴もふさいでくれ
ますよ
ハハハ、ありがとう…

ミニコラム　三巨匠の自画像比較

一言で「自画像」と言っても、三者三様、表現の仕方に個性の違いがはっきり出ています。レオナルドは得意のデッサン1点勝負、ミケランジェロはさすがただの肖像ではなく預言者や聖人などに扮して場を盛り上げ、素直なラファエロはこれぞ自画像、という作品を残しています。

レオナルド・ダ・ヴィンチ

わしは自画像を画中に描き込む事はしなかったのじゃ。このデッサンも自画像と言われているが、本当にそうかわからんぞ〜?わしは謎めいていることが好きなのじゃ

しかし良い顔をしとるの

「自画像(?)」
1515年頃
トリノ国立図書館
トリノ

ラファエロ

「自画像」　1506年頃
ウフィツィ美術館　フィレンツェ

「自画像」　1500-02年頃
アシュモレアン美術館
オックスフォード

「友人と自画像(部分)」
1520年頃
ルーヴル美術館　パリ

この最後の自画像はだいぶオヤジになっちゃった。美男子に見えないかもしれないけどほんとにもてたんだよ!

ミケランジェロ

「聖バルトロメオ」
一五四一年　システィーナ礼拝堂　バチカン

人間の皮に扮して自画像を描いたのはオレぐらいのもんだろう

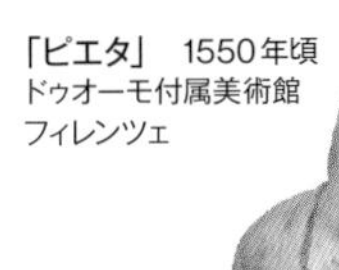

「ピエタ」　1550年頃
ドゥオーモ付属美術館
フィレンツェ

「預言者エレミヤ」　1512年
システィーナ礼拝堂　バチカン　ローマ

悪魔 表現比較

グヘヘヘ〜

悪魔の親玉 “サタン”

ジョット以前 コッポ・ディ・マルコヴァルド「地獄(部分)」
1250-70年頃 洗礼堂 フィレンツェ

地獄のボス

今はこんな姿になっちゃったけど、昔はたいそうな美男子天使だったとか…。超トップクラスの犯罪者専門で、両耳と口からバリバリ魂を飲み込む。名誉あるセンターポジション、口から食べられているのはやっぱり悪人界のスーパースター、裏切り者のユダである。

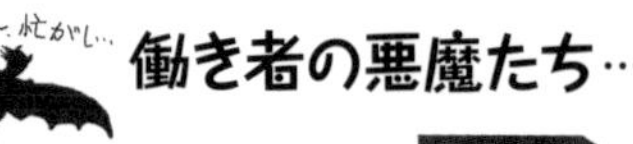
あ〜、忙がしい…

働き者の悪魔たち

ヤベ〜 逃げろ〜

塀を壊して聖人にダメージを負わせる実行犯系悪魔

あっ! ちょっとやりすぎちゃった?

キャー!!

ジョット派 スピネッロ・アレティーノ「聖ベネディクトゥス伝(部分)」
1387年頃 サン・ミニアート・アル・モンテ教会 フィレンツェ

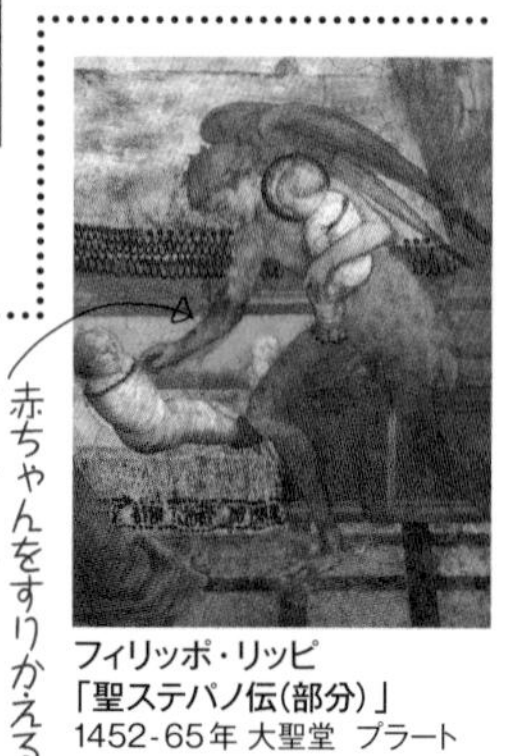

赤ちゃんをすりかえるすりかえ悪魔

フィリッポ・リッピ
「聖ステパノ伝(部分)」
1452-65年 大聖堂 プラート

ユダをそそのかす誘惑系悪魔

ジョット「キリスト伝 ユダの裏切り」
1304-05年頃 スクロヴェーニ礼拝堂 パドヴァ

コワ〜

特別企画

巨匠たちの

「キリストにはかなわねーなー」

フラ・アンジェリコ
「冥界への降下(部分)」
1432-35年頃
サン・マルコ美術館
フィレンツェ

きゃー
来たー!

アンドレア・ボナイウート
「冥界への降下」

こわいわね〜
アラ、ほんと…
イヤねぇ
うわ〜

ジョット派 アンドレア・ボナイウート「冥界への降下(部分)」
1365年頃 サンタ・マリア・ノヴェッラ教会 フィレンツェ

冥界へ下るキリスト

キリストは死亡してから復活するまでの3日の間に、それまで天国にも地獄にも行けず閉じ込められていた人々(主にキリスト教の洗礼を受けていない人々)の魂を冥界から解放した。それまでそこを管理していた悪魔たちは、救世主到来の噂を聞きつけ、大型の鍵で扉を閉めて用心するが、キリストはいとも簡単に扉をなぎ倒し、みんなを連れ出してしまう。この主題には、おちゃめな悪魔がよく潜んでいる。

さあさあ

地獄へごあんな〜い

フラ・アンジェリコ「最後の審判(部分)」
15世紀前半 サン・マルコ美術館 フィレンツェ

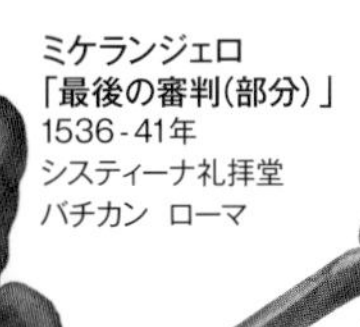

ミケランジェロ
「最後の審判(部分)」
1536-41年
システィーナ礼拝堂
バチカン ローマ

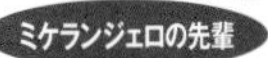
ミケランジェロの先輩

ルカ・シニョレッリ「最後の審判(部分)」
1500-03年 大聖堂 オルヴィエート

捕まったら最後…

審判が下され地獄行きが決まった魂にはすぐ悪魔が寄ってくる。この仕事熱心な地獄ガイドに捕まったら、年貢の納め時。じたばたしないであきらめよう。16世紀に入ると悪魔もぐっとリアルに人間っぽい表現になる。

『芸術家列伝』の著者 〝ジョルジョ・ヴァザーリ〟はこんな人

ジョルジョ・ヴァザーリ
Giorgio Vasari
（1511-74）
超・仕事の鬼
権力に弱い
質より量
仕事の速さ
ギネス級
誠実・善良
背が低い
超・社交家
妹思い
ミケランジェロ
を崇拝
{肩書き}
・建築家
・文筆家
・美術評論家
・画家

ジョルジョ・ヴァザーリは、一五一一年トスカーナの小都市アレッツォという町に生まれました。幼い時に遠い親戚の有名な画家ルカ・シニョレッリから、「君は、画家か文筆家になるとよい。とにかくデッサンを熱心にやりなさい」と忠告され、絵の道に進み、その言葉を生涯忘れませんでした。

十六歳の時、父が亡くなったので、家長として家族を養うためにとにかく稼がなければならなくなり、来る仕事はなんでも引き受け、がむしゃらに働きはじめました。

その後、持ち前の器用さ、人当たりの良さ、驚くべき仕事の速さなどがうけてメディチの歴代の当主に気に入られ、ついにトスカーナ大公コジモ一世からは初めての宮廷画家の称号を得ました。本業であるはずの画家業のみならず、『芸術家列伝』の執筆、ウフィツィ美術館、ヴァザーリの回廊、ヴェッキオ宮殿の大改装工事を手がけ、その渦中にも、ミケランジェロの葬儀責任者や教会の改修工事、最後はドゥオーモの天井画にも着手しました。

ヴァザーリの列伝秘話 『芸術家列伝』誕生

1 一五四六年頃、ローマで仕事をしていたヴァザーリは、しばしば上層階級の人々が集う知的な夕べに参加していました。

どうぞよろしく
ヴァザーリ君だよ

2 その集いの中で、博識で知られたパオロ・ジョーヴィオからある提案がなされました。

誰か、僕の所有している美術館の作品に詳しい情報と解説を付けてくれないか?
今、付けてある情報は実はかなりいいかげんなんだ。たいへんな仕事になるだろうけど…
各々の画家の生いたちや逸話や代表作の解説なんかも付けたりして…

3 そこにいあわせた人々の中で画家はヴァザーリ一人だったので、皆がヴァザーリに向かって…

ジョルジョ君、素晴らしい企画と思わないかい?
ジョルジョ君、君が最適任者だよ!
やりたまえ
仕事速いし
頼まれてる絵もあるし…
絵よりむいてるよ
エェ〜!! そんな私にはムリですよ…

4 ほとんど強制的に引き受けさせられたヴァザーリでしたが、引き受けた以上は持ち前の真面目さと責任感で、熱心に取り組みました。

これが私の持っている情報全てです
頑張ってみます

5 若い頃から集めていた優れた画家に関するメモやデッサン、古典の書物、自らも調査に出かけたりしながら情報を収集しました。

超集中力
これはえらいこっちゃ…

6 そして、なんとヴァザーリは企画が持ち上がってから、たったの三年でこの前代未聞の大著を印刷まで持っていったのでした。それが『芸術家列伝』です。

でも自信ないのでちゃんと校正してね。で、他の人の名前で出版して…
ダッシュでやってみました…
ヨロ…
Le Vite
しぇ〜 もうできたの?!
はや…!!

ヴァザーリの猛烈仕事

世界初の美術史の本

『芸術家列伝』"LE VITE"

～チマブーエから始まるイタリアの素晴らしき建築家・画家・彫刻家たちの伝記～

ヴァザーリは、世界で初めて"芸術家の人生とその作品の評論、解説を書いた本"を出版した。その中で、彼が定義付けた「ルネサンスを三段階（プロト・初期・盛期）に分けてとらえる」考え方は、現在でも影響力を持っている。

『芸術家列伝』は、出版された当初から大きな成功を収めた。そして今日に至るまで、膨大な版を重ねる大ベストセラーとなっている。後の研究によって、年代の間違いがただならぬ数で存在するとか、見たはずのない絵をあたかも見たように書いている、作品の取り違え、まるっきり信用できない逸話があるなど、様々な問題点が指摘されている。が、一方で当時の芸術家たちの人格や生涯を推測することのできる貴重なエピソードの数々、また確かな審美眼を持つヴァザーリによる美術批評の価値などから、今日なお重要な古典として読み継がれている。

LE VITE
DE PIV ECCELLENTI ARCHITETTI, PITTORI, ET SCVLTORI ITALIANI, DA CIMABVE INSINO A' TEMPI NOSTRI: DESCRITTE in lingua Toscana, da GIORGIO VASARI Pittore Aretino. Con vna sua vtile & necessaria introduzzione a le arti loro.

IN FIRENZE
M D L.

『芸術家列伝（レ・ヴィーテ）』 扉 1550年 初版 フィレンツェ

GIOTTO PITTORE, SCVLTORE ET ARCHITETTO FIOR.

「ジョットの章」 中扉 1569年
第二版 フィレンツェ

わしとしても、できるだけのことはやったのだ
1550年に第一版を出版したあと、不確かだった部分をちゃんと自分の目で見て確かめるため、大取材旅行を敢行したよ。そして間違いを修正して、16世紀に活躍していた芸術家たちの伝記も大幅に増やし、1569年に大改訂版を発行したのだ

ヴァザーリの猛烈情報収集の旅
in 北イタリア
ミラノ
パドヴァ
ヴェネツィア
マントヴァ
パルマ
ボローニャ
ラヴェンナ
ペーザロ
フィレンツェ
アンコーナ
スポレート
ローマ
約1カ月でこの都市を全部回ろうなんて、まるで日本人ツアー並みだ がんばらねば…
車じゃないよ、馬でだよ

「ヴァザーリの回廊」 1565年 フィレンツェ

「自画像」 1565年 ヴァザーリの回廊 フィレンツェ

ヴェッキオ宮殿からウフィツィ美術館を経てピッティ宮殿をつなぐこの空中回廊は、コジモ一世の命により、息子のフランチェスコ・ディ・メディチとジョバンナ・ダウストリアの結婚を記念して建設された。その挙式に間に合うよう、「通常6年かかるところを、たった6ヵ月で完成させた」と建築責任者のヴァザーリは後に語っている。現在は肖像画のコレクションが展示されている。

なかなか威厳ある風貌じゃろ。わしは当時の美術界を牛耳るドンとしてなかなかの権力者だったのだ

似とるの

わしに建築を勉強するように勧めてくれたのはミケランジェロ先生じゃった…。わしは画家として絵も大量に描いたが、こうやって見ると代表的な作品はみな建築じゃの…

?あれ?
おかしいな…
ま、多才だったってことかな?

「ミケランジェロの墓」 1565年 サンタ・クローチェ教会 フィレンツェ

「ウフィツィ美術館」 1560-80年 フィレンツェ

「旧市場の回廊(魚のロッジャ)」 1570年 フィレンツェ

「大聖堂天井画」 1574年 ドゥオーモ フィレンツェ

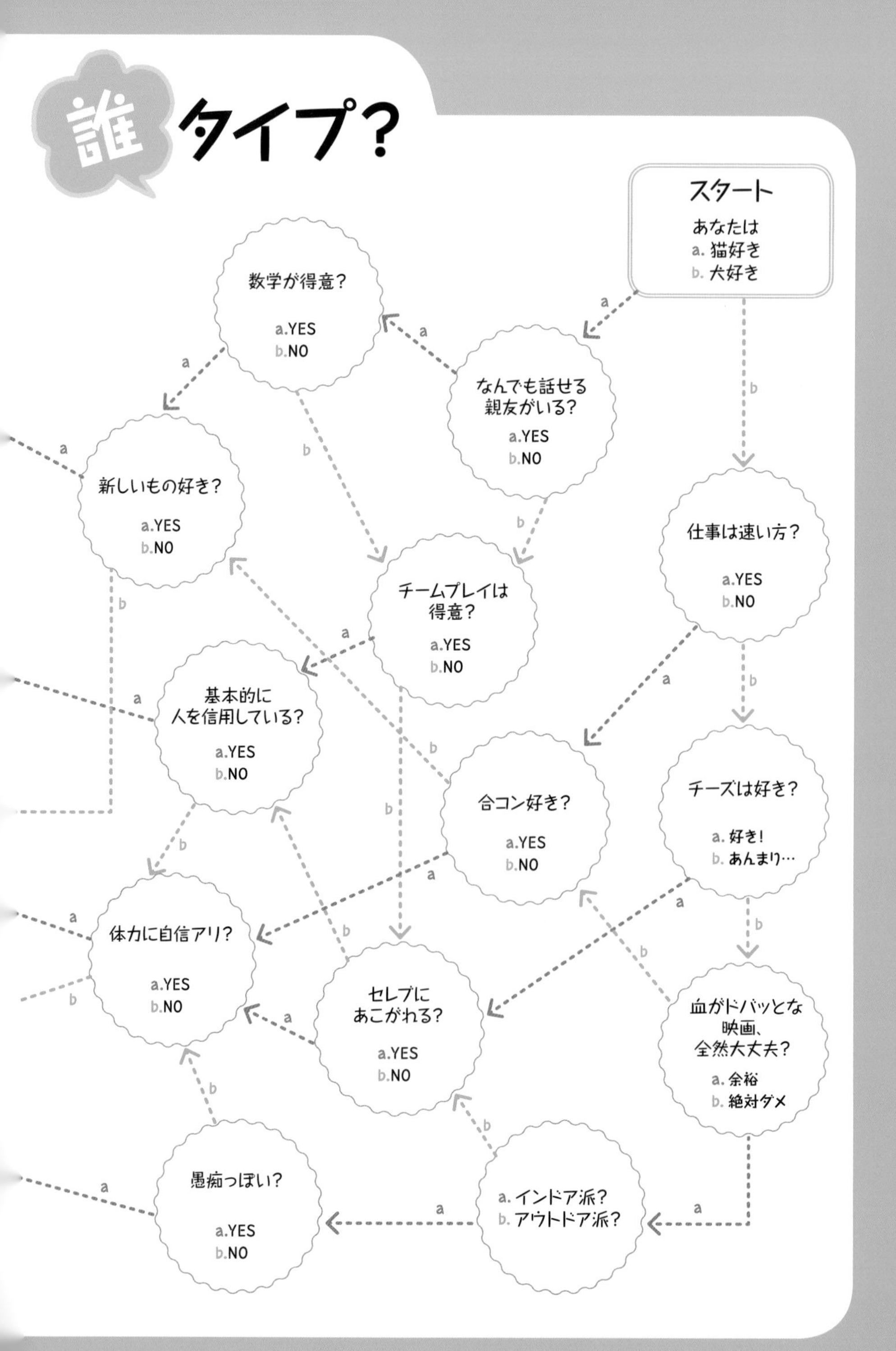
誰タイプ？
スタート
あなたは
a. 猫好き
b. 犬好き
数学が得意？
a.YES
b.NO
なんでも話せる
親友がいる？
a.YES
b.NO
新しいもの好き？
a.YES
b.NO
仕事は速い方？
a.YES
b.NO
チームプレイは
得意？
a.YES
b.NO
基本的に
人を信用している？
a.YES
b.NO
合コン好き？
a.YES
b.NO
チーズは好き？
a. 好き！
b. あんまり…
体力に自信アリ？
a.YES
b.NO
セレブに
あこがれる？
a.YES
b.NO
血がドバッとな
映画、
全然大丈夫？
a. 余裕
b. 絶対ダメ
愚痴っぽい？
a.YES
b.NO
a. インドア派？
b. アウトドア派？

ルネサンス芸術家別に見る

あなたは

常識にとらわれない革新的なあなたは、時代に合っていれば不朽の名声を手に入れられるかも?

型やぶりな革新者
ジョット

頭が良すぎるあなたは周りの人があほに見えて困っているのでは?もう少し優しい気持ちを持って人と接せられれば無敵の大偉人に。

頭脳明晰・不言実行
ブルネレスキ

夢中になるとのめりこみ過ぎてしまうあなたは、周りの視線など気にせず、我が道を行きましょう。そのうち時代があなたに追いつくかも?

元祖・マニア
ウッチェッロ

性格も見た目も文句なしのあなた。影の努力も全て実るでしょう。ただ恋愛問題に落とし穴が潜んでいるかも?

すべての名誉を手中に
ラファエロ

繊細で感受性豊かなあなたは時代の寵児になることができるでしょう。ただ運気が落ちてきた時に忍び寄る怪しげな勧誘には要注意。

頂点と斜陽
ボッティチェリ

次々といろいろなことを思いついてしまうあなた。気が散る癖を直せれば成果もぐっと上がって金払いの良いパトロンが見つかるかも?

伝説的存在
レオナルド・ダ・ヴィンチ

人が良くて仕事の速いあなたは短期間に大きな成果を上げて後世に名を残すかも。でも働きすぎには要注意。

彗星のごときスターな人生
マザッチョ

実力も努力も桁外れのあなた。みんなから怖れられるほどの大物だからといっても、多少は身だしなみに気を配りましょう。

圧倒的な存在感
ミケランジェロ

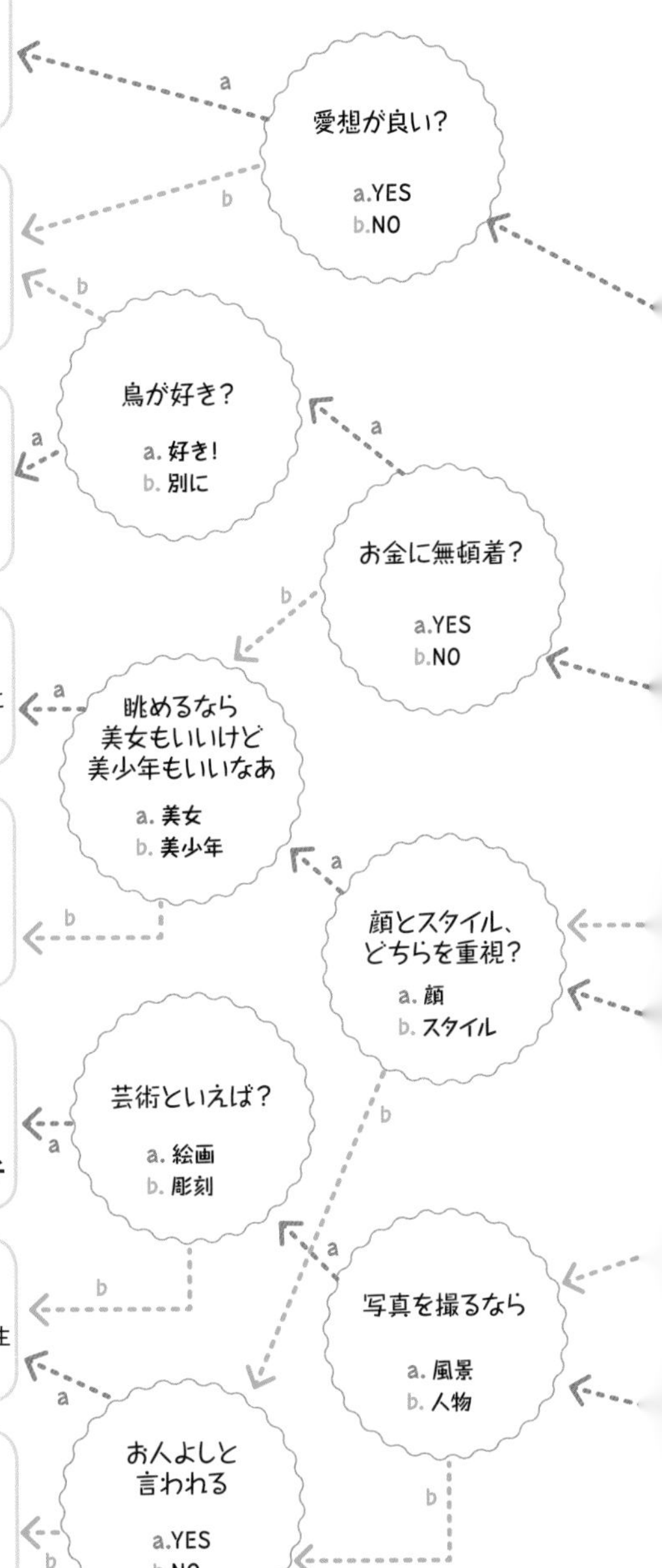
愛想が良い?
a.YES
b.NO
鳥が好き?
a. 好き!
b. 別に
お金に無頓着?
a.YES
b.NO
眺めるなら
美女もいいけど
美少年もいいなあ
a. 美女
b. 美少年
顔とスタイル、
どちらを重視?
a. 顔
b. スタイル
芸術といえば?
a. 絵画
b. 彫刻
写真を撮るなら
a. 風景
b. 人物
お人よしと
言われる
a.YES
b.NO

〈その他〉
ロス・キング　『天才建築家　ブルネレスキ　フィレンツェ・花のドームはいかにして建築されたか』田辺希久子訳　東京書籍　2002年．
ロス・キング　『システィナ礼拝堂とミケランジェロ』　田辺希久子訳　東京書籍　2004年．
宮下孝晴　『フレスコ画のルネサンス　壁画に読むフィレンツェの美』　日本放送出版協会 2001年．
ジョルジョ・スピーニ　『ミケランジェロと政治　メディチに抵抗した《市民＝芸術家》』　森田義之・松本典昭訳　刀水書房　2003年．
アーヴィング・ストーン　『ミケランジェロの生涯』　新庄哲夫訳　二見書房　1966年．
レオン・バッティスタ・アルベルティ　『絵画論』　三輪福松訳　中央公論美術出版　1971年．
アントニオ・マネッティ　『ブルネッレスキ伝　付グラッソ物語』　浅井朋子訳　中央公論美術出版　1989年．
松本典昭　『パトロンたちのルネサンス　フィレンツェ美術の舞台裏』　日本放送出版協会　2007年．
中森義宗　『キリスト教シンボル図典』　東信堂　1993年．
エリカ・ラングミュア　『ナショナル・ギャラリーガイド　ロンドン国立美術館への招待』　高橋裕子監訳　同朋舎出版　1996年．
グローリア・フォッシ　『ウフィッツィ美術館　芸術　歴史　コレクション』　松本春海訳　フィレンツェ-ミラノ　2001年．
早坂優子　『天使のひきだし　美術館に住む天使たち』　視覚デザイン研究所　1995年．
早坂優子　『マリアのウィンク　聖書の名シーン集』　視覚デザイン研究所　1995年．
利倉隆　『悪魔の美術と物語』　美術出版社　1999年．
佐藤幸三　『図説　ルネサンスに生きた女性たち』　河出書房新社　2000年．

〈外国語文献〉
G. Vasari, *Le vite dei più eccellenti pittori scultori ed architetti*, Edizione integrale, Roma 2007.
GIORGIO VASARI, Firenze 1981.
FIRENZE. ARTE & ARCHITETTURA, Milano 2000.
Milena Magnano, *Leonardo*, Milano 2008.
Paolo Franzese, *Raffaello*, Milano 2008.
Matilde Battistini, *Simboli e allegorie*, Milano 2003.
Marcello Vannucci, *LE GRANDI FAMIGLIE DI FIRENZE*, Roma 2006.
Antonio Manetti, a cura di C. Perrone, *Vita di Filippo Brunelleschi*, Roma 1992.
Paula Nuttall, *FROM FLANDERS TO FLORENCE*, London 2004.
Carlo Bertelli, Giuliano Briganti, Antonio Giuliano, *Storia dell'arte italiana volume primo*, Milano 1990.
Carlo Bertelli, Giuliano Briganti, Antonio Giuliano, *Storia dell'arte italiana volume secondo*, Milano 1990.
Stefania Stefani, *La vita straordinaria di LEONARDO DA VINCI*, Firenze-Milano 2006.
Lorenzo Lorenzi, *Devils in Art. Florence, From the Middle Ages to the Renaissance*, transl. Mark Roberts, Florence 2006.
Arte. le garzantine Enciclopedia dell'Arte, 2002.

G. ヴァザーリ 『ルネサンス画人伝』 平川祐弘・小谷年司・田中英道訳 白水社 1982年.

G. ヴァザーリ 『続ルネサンス画人伝』 平川祐弘・仙北谷茅戸・小谷年司訳 白水社 1995年.

G. ヴァザーリ 『ルネサンス彫刻家建築家列伝』 森田義之監訳 白水社 1989年.

ロラン・ル・モレ 『ジョルジョ・ヴァザーリ メディチ家の演出家』 平川祐弘・平川恵子訳 白水社 2003年.

〈イタリア・ルネサンスの巨匠たち〉
ルチアーノ・ベッローシ 『ジョット』 野村幸弘訳 東京書籍 1994年.
ジョヴァンニ・ファネッリ 『ブルネレスキ』 児嶋由枝訳 東京書籍 1994年.
ジョヴァンナ・ガエタ・ベルテラ 『ドナテッロ』 芳野明訳 東京書籍 1994年.
オルネッラ・カザッツァ 『マザッチョ』 松浦弘明訳 東京書籍 1994年.
アンナリータ・パオリエーリ 『パオロ・ウッチェロ、ドメニコ・ヴェネツィアーノ、アンドレア・デル・カスターニョ』 諸川春樹・片桐頼継訳 東京書籍 1995年.
ジョン・ポープ=ヘネシー 『フラ・アンジェリコ』 喜多村明里訳 東京書籍 1995年.
グロリア・フォッシ 『フィリッポ・リッピ』 塚本博訳 東京書籍 1994年.
ブルーノ・サンティ 『ボッティチェリ』 関根秀一訳 東京書籍 1994年.
ブルーノ・サンティ 『レオナルド・ダ・ヴィンチ』 片桐頼継訳 東京書籍 1993年.
ルッツ・ホイジンガー 『ミケランジェロ』 石井元章訳 東京書籍 1996年.
ブルーノ・サンティ 『ラファエロ』 石原宏訳 東京書籍 1995年.

〈TASCHEN シリーズ〉
フランク・ツォルナー 『レオナルド・ダ・ヴィンチ』 Junko Mizuno 訳 TASCHEN 2000年.
ジル・ネレ 『ミケランジェロ』 Mariko Nakano 訳 TASCHEN 2002年.
クリストフ・テーネス 『ラファエロ』 Kazuhiro Akase 訳 TASCHEN 2006年.

〈西洋美術史全般〉
『新西洋美術史』 千足伸行監修 西村書店 1999年.
H.W. ジャンソン 『美術の歴史』 木村重信・辻成史訳 創元社 1980年.
早坂優子 『鑑賞のための 西洋美術史入門』 視覚デザイン研究所 2006年.

〈フィレンツェ史・メディチ家〉
ピエール・アントネッティ 『フィレンツェ史』 中島昭和・渡部容子訳 白水社 1986年.
高階秀爾 『フィレンツェ 初期ルネサンス美術の運命』 中央公論社 1966年.
若桑みどり 『フィレンツェ 世界の都市の物語』 文藝春秋 1999年.
森田義之 『メディチ家』 講談社 1999年.
高階秀爾 『ルネッサンスの光と闇 芸術と精神風土』 中央公論社 1987年.
中嶋浩郎・中嶋しのぶ 『フィレンツェ歴史散歩』 白水社 2006年.

杉全 美帆子（すぎまた　みほこ）

神奈川県生まれ。女子美術大学絵画科洋画卒業。
広告制作会社、広告代理店でグラフィックデザイナーとして働く。
2002年よりイタリアへ留学。
2008年アカデミア・ディ・フィレンツェを卒業。
著書に『イラストで読む　レオナルド・ダ・ヴィンチ』
『イラストで読む　印象派の画家たち』
『イラストで読む　奇想の画家たち』
『イラストで読む　ギリシア神話の神々』
『イラストで読む　旧約聖書の物語と絵画』（以上河出書房新社刊）

杉全美帆子のイラストで読む美術シリーズ制作日誌
http://sugimatamihoko.cocolog-nifty.com/

装丁・本文デザイン　GRiD
イラスト　杉全美帆子

イラストで読む
ルネサンスの巨匠たち

2010年4月30日　初版発行
2021年3月20日　新装版初版印刷
2021年3月30日　新装版初版発行

著者　杉全美帆子

発行者　小野寺優
発行所　株式会社河出書房新社
〒151-0051 東京都渋谷区千駄ヶ谷2-32-2
電話 03-3404-1201（営業）
03-3404-8611（編集）
http://www.kawade.co.jp/

印刷・製本　三松堂株式会社
Printed in Japan　ISBN978-4-309-25668-9

落丁本・乱丁本はお取り替えいたします。

本書のコピー、スキャン、デジタル化等の無断複製は著作権法上での例外を除き禁じられています。

本書を代行業者等の第三者に依頼してスキャンやデジタル化することは、いかなる場合も著作権法違反となります。